U0110341

8 南北朝

西元420～588年

[注音本]

全新 吳姐姐講歷史故事

吳涵碧◎著

目錄

【第178篇】胡兒變漢人。

北魏孝文帝爲了要實行漢化政策，假裝說要出征，把大家騙到了洛陽，然後遷都於此。

他費了好久工夫完成遷都以後，開始一步步實行他的漢化計畫。

首先，北魏孝文帝自己先換上了漢人皇帝穿的衣著，然後命令臣下採一般漢人的衣冠。原先胡人衣狹而短，漢衣寬而長，大不相同。

有一次，北魏孝文帝出宮巡查，遠遠望見婦女們穿的仍是用夾領小袖的胡衣，非常的不高興。第二天上朝就發脾氣道：『前次已下詔革衣服之制，你們爲何違背前詔？』

朝臣們看到北魏孝文帝光火的神態，知道他不是說著玩兒的，回去後立刻徹底實行改衣服的命令。

換了衣服還不成；要接受漢人文化，首先得要懂漢文漢語。北魏孝文帝在太和十九年，禁止人民使用鮮卑語，一律改用漢語。

他也知道學習語文不是一件簡單的事，所以特別通融『三十歲以上的人，年紀大了改不過來，可以原諒。三十歲以下的人，在朝廷爲官者，如果再用北語鮮卑語，應當降爵黜官。』

這一招相當厲害，臣子們爲了保持官位，不得不努力學習漢文漢語。

在朝廷上朝時也彼此勸誡：『小心啊，別漏了嘴說了鮮卑語。』

接著，北魏孝文帝又認爲鮮卑姓不雅，不如改爲漢姓好聽。而且鮮卑人本來是以自己所居的部落爲姓，字數比較長，例如步六孤氏，勿忸氏等，一看便知是胡人。北魏孝文帝的目的是使胡人變爲漢人，所以他把姓氏一齊改爲單音。例如拓拔改為『元』，禿髮改為『源』，以後胡人的姓氏與漢人變爲同一個型式。

然後，北魏孝文帝又做了媒人，鼓勵王室貴族和中原漢人的世家大族通婚。婚姻是血統混雜最有效的方法。

他先以身作則，娶了許多漢人女子納於後宮，像范陽盧氏、清河崔氏、滎陽鄭氏、太原王氏四姓，爲中原衣冠大族，北魏孝文帝特納這四大家族的女孩為妃。好在古來皇帝後宮的佳麗永遠也不嫌多的。

在北魏孝文帝倡導娶漢女為妻的風氣之下，他的弟弟咸陽王娶了潁川太守隴西李輔的女兒，另一個弟弟河南王娶了代郡魏明樂的女兒。以後胡漢通婚，就成為一件極為自然而普遍的事了。

雖然北魏孝文帝改衣冠、斷北語、改姓氏、通婚姻，做了種種漢化的措施。然而，人心總是戀舊的，從前自北方遷來的胡人仍會想念老家；尤其北來之人，不習慣暑熱，每到了酷熱難熬的夏天，不免思念起一望無際的大漠，且有水土不服之苦。

同時，胡人也有落葉歸根的觀念。到了老去病死，仍要歸葬在以前平城之地，總認為那兒才是他們的根之所在。

北魏孝文帝認爲這種歸葬老根的觀念一日不除，漢化政策永遠不能徹底實行。所以他在太和十九年下詔：『遷移到洛陽的北人，不必歸葬。』於是在洛陽替鮮卑人建立墳場。中國人一向把自己的祖墳所在地看成自己的故鄉。鮮卑人在洛陽既然有了墳場，世代葬在洛陽，所以南遷的鮮卑人，以後都成爲了河南洛陽人。

此外，北魏的種種政治制度，無不模仿漢人，例如依漢法改訂度量衡，仿效漢人的五銖錢制定太和五銖等等。並且搜求大量的遺書，研究中國的學術思想、典章制度。

在北魏孝文帝的積極倡導之下，加速了中華民族血緣文化的融合，使北魏由野蠻進入了文明，各方面都有了明顯的進步，這是漢化成功之處。

任何事通常都是有利有弊，漢化政策的本身雖然成功了，但卻使得鮮卑人失去了壯悍之氣。尤其北魏的貴族遷都到洛陽以後，學習了漢人奢靡的風氣，國勢就一天天弱了。

關於這一點，北魏以前的君主就想到過了。以前在道武帝時代，他曾經派了一個叫賀狄干的人到後秦去。結果被秦王姚興扣留下來，命他在長安讀書，學尚書、論語。

後來賀狄干回到北魏，動作斯文，舉止有禮。道武帝看著不順眼，很生氣道：『這個傢伙文縐縐的，像個中國讀書人，說有多討厭就有多討厭。』然後把他殺了。

講到這裡，我們發現一個很有趣的現象，就是我們中國人一向認爲『華夷之辨，辨在心』，這句話的意思是說，華人和夷狄之分別不在於血統，而在於文化，只要有文化就是漢人，否則便是胡人。

北魏孝文帝漢化以後，這些在洛陽的鮮卑人受了文化的薰陶，知書達禮，由胡人變爲漢人。而這時，還留在北方的胡人，依舊保持胡風。於是雙方原先都是鮮卑人卻彼此看不起，南人嫌北人野蠻，北方人看南人文弱，這種文化上的衝突，以後便釀成了六鎮之亂。

閱讀心得

【第179篇】

北魏也有鬥富的故事。

在上一回『胡兒變漢人』之中，我們說到北魏孝文帝積極漢化，勵精圖治。很可惜，天不假年，北魏孝文帝還來不及進一步施展抱負，只活到三十三歲就去世了。由太子恪即位，是爲宣武帝。

宣武帝即位時才十四歲，不得不由他的叔父彭城王、北海王、咸陽王等共同輔政。這些王彼此不合，明爭暗鬥，都想要奪取更多的政權。

其中咸陽王的勢力最大，位居羣臣之上，是爲上相，他不親政務，驕奢貪淫，多爲不法。宣武帝看到咸陽王就生氣，而且咸陽王似乎也沒有把小皇帝看在眼裡。

有一次，咸陽王向領軍于烈要求派些執兵翊衛給他，好跟著他進進出出，增加一些氣派。

于烈說：『我做爲領軍，但責任是管理皇宮的安全，沒有皇帝下詔不可以將皇宮的衛隊隨便調派。』

咸陽王輕蔑地說：『我，天子之叔父，身爲上相，有些什麼要求也是應該的，我的話與天子之詔有何不同？』

結果，于烈還是沒有答應咸陽王，並且跑去告訴宣武帝：『現在諸王專恣，難保以後會出什麼差錯，不如早日罷退諸王，自行親政。』

同時，又有另一人對宣武帝說：『聽說彭城王很得人心，萬一讓他長久輔政，恐怕對皇上不利。』

於是，宣武帝接受了臣下們的建議，在一天上朝的時候，突然宣佈親政。咸陽王不服氣，陰謀發動政變，宣武帝早料到他有這一招，很迅速的把亂事平定了。

糟糕的是把諸王罷退後，留在宣武帝左右的都是一些小人。他本人又沒有多大才能，國勢一天比一天衰弱。其中有一個叫趙脩的，尤其博得宣武帝的寵愛，在十天半月之中，一連升了好幾次官，最後竟做到了光祿卿的大官。而每一次升官，宣武帝居然親自到趙脩家中參加慶功宴，王公百官都跟在後頭。

除了吏治不良，北魏的風氣也日漸敗壞。北魏本來是比較樸素的，一方面是胡人尚武而文化簡陋，另外淪陷在胡地的漢人自然也比較刻苦。但是自從北魏遷都到了洛陽以後，國家富庶，一般鮮卑的王公貴族也染上了奢侈的華風。

當時，北魏的臣子們學到漢人比賽奢侈的壞風氣。例如高陽王的財富冠於一國，他的宮室園囿，可以媲美皇宮禁苑，擁有六千僮僕，五百女伎。一出門，衛隊塞滿了道路，進退不得；一召歌伎通宵達旦；吃一頓飯就花上幾萬塊錢，有人嘆道：『高陽一食，敵我千日。』意思是說高陽王吃一頓飯夠我吃上一千日。

河間王最不服氣高陽王，天天都在想辦法鬥倒高陽王。他養了十幾匹難得一見的駿馬，爲了表示身價不凡，馬槽竟然用銀子打造，那比我們這兒有人誇馬桶鑲金更氣派、更神經。此外，窗户上面也嵌著金龍玉鳳。

一次，河間王又邀請諸王宴飲，誇耀他的財富，酒席山珍海味，琳瑯滿目，那是不在話下，尤其他的那些個盛酒的酒壺酒杯眞是稀世珍寶。他緩緩站了起來，舉起一個玲瓏剔透的杯子道：『這叫水晶杯，產在大秦國，各位曾經看過嗎？』

在座沒有一個人看過如此晶瑩可愛的酒器，紛紛投以羨慕的眼光。

『嗯，這個叫瑪瑙碗，瑪瑙非石非玉，有紅、白、黑三種顏色，生在西國玉石間，我手上拿著是最名貴的。』衆人的眼睛更圓了。

河間王得意的舉起第三個杯子道：『不過，最稀奇的還是赤玉巵，各位看，它紅得像雞冠嗎？這種紅色可不是調配得出來的。』

接著，大家都擁過來看，個個嘖嘖稱奇，都說：『這樣精巧的東西可一輩子也沒有見過。』每個人都把頭伸得長長的，惟恐看不仔細，卻又不敢動手去碰，萬一砸壞了可賠不起。

吃完了飯，河間王又領著大家去看名馬、珠寶，樣樣美不勝收。他嘆口氣對章武王說：『我不恨我看不見石崇，只可惜石崇看不見我，否則他也要甘拜下風了。』

石崇是晉朝有名的奢侈的人，關於他和人家鬥富的故事，我們前面已經講過。

好，再說章武王聽了這句話以後，回家就病倒了。腦子裡翻來覆去想的都是水晶杯、瑪瑙碗、赤玉卮，竟然爲此失眠終日。
京兆王聽説章武王病了，趕來看望，他安慰道：『你的資財不比河間王少，爲什麼要如此想不開呢？』

『哎，你有所不知。』章武王勉強坐起來道：『我原以爲這個世界上比我有錢的只有高陽王，誰曉得竟又冒出一個河間王，怎不叫我傷心呢？』

在王公貴族競相鬥富之下，做皇帝的自然也不能寒傖，宣武帝更是大手筆。他建造了歷史上著名的伊闕石窟，裡面有數不盡的佛像；又修了永明、閒居兩座大寺廟，免費供三千名和尚居住；更在永平到延昌年間，在北魏境內蓋了一萬三千個寺廟。所耗費的金錢眞是難以計算。

閱讀心得

【第180篇】胡太后亂政。

北魏自從北魏孝文帝去世，宣武帝即位，國勢一天比一天衰弱；不過，北魏眞正開始動亂不安，是在胡太后臨朝的時代。

胡太后本來是絕對當不成太后的，這話怎麼說呢？原來，北魏自從道武帝以後，仿效漢武帝殺鉤弋夫人的故事，凡立太子則殺其母。

有一次漢武帝北巡，遇見一位非常奇怪的美麗少女，兩隻手始終緊握著拳頭，怎麼也打不開。可是漢武帝一摸到這位少女的玉手，手便自動張開，裡面握著一支玉鉤，漢武帝大爲驚奇，把她帶回京裡，收爲自己的妃子，封爲鉤弋夫人。

以後，鉤弋夫人生下一個兒子弗陵，立爲太子（就是漢昭帝）。然而有一天，漢武帝忽然以一個莫須有的罪名，把鉤弋夫人處死了。理由是『主少母壯，是禍亂開始』。他惟恐自己去世之後，鉤弋夫人當了皇太后，可以控制小皇帝，奪得政權。因此，狠心的把鉤弋夫人殺了。

北魏道武帝，認爲漢武帝的顧慮很有道理。因此，立下家法，任何一個妃嬪生下男孩，被立爲太子以後，立即將太子的母親處死刑。

因爲這個理由，後宮佳麗懷孕以後，無不焚香祈禱，但願生一個女孩。這也是歷史上後宮中少有的事，竟然不求一舉得男。非但如此，萬一生下

一個男孩子，有的還會叫宮女偷偷抱出去殺了以後扔掉，以保全自己一條性命。

所以，宣武帝的宮中妃嬪極少有養男孩的；而且，非常不幸，已長成的皇子又一個一個死了。宣武帝爲了擔憂無後，終日煩惱不已。

不久，宣武帝最寵愛的妃子胡氏懷孕了，他非常希望這一回生個男孩。果然，天從人願，眞的是個男的，宣武帝大喜過望，立刻封爲太子。

根據家法，胡氏生下男孩，又立爲太子，應該立刻處死。但是宣武帝看到她那嬌豔如花的容貌，實在下不了手；加上宣武帝又是信佛的，更起了慈悲心腸。非但沒有送她上西天，更立胡氏爲貴嬪。

以後宣武帝去世，經過一場政變之後，竟然眞如道武帝所料，胡太后的兒子孝明帝即位，年僅六歲，胡太后總攝朝政。

胡太后是漢人，爲人奢侈貪婪，她掌權時期，是北朝貴族生活最糜爛的時候。因爲在上位者起了帶頭作用，下面的百姓自然跟著仿效。

北魏因爲世世代代強盛，東夷、西夷貢奉不絕。又設立互市制度，所以北朝也有南方的珍奇寶貨，府庫裡滿得都要溢出來了。

有一天，胡太后忽然興起，要去看珍藏的絲絹。她率領了王公嬪主從行一百多人，浩浩蕩蕩到了府庫前，胡太后對大家說：『到了裡面，你們能拿多少，便拿多少，看你究竟能搬多少，全是自己的，入得寶山可別空手而返啊！』

於是一羣人，鼓著貪婪的眼睛，興奮得往前衝，看到了光滑細緻、美不勝收的絲絹，拚命的搶。手上、脖子上，到處都掛滿了一匹匹的絹，搬得少的，也不下百餘匹。

尚書令、儀同三司李崇揹得太多了，「哎喲」一聲，扭傷了腰，跌倒在地；無巧不成書，章武王融接著也腳踝扭了筋，動彈不得。

胡太后看到李崇、章武王融跌跤了，一個箭步向前，把他兩人的絹都奪了過來。旁人看到胡太后這種貪心的樣兒，都忍不住掩著嘴暗笑。

一羣人各自揹負著上百匹絹，彎著腰、駝著背，萬分吃力的從府庫中出來。忽然發現侍中崔浩只拿了兩匹，無怪走得十分輕快。

「你怎麼只拿了兩匹呢？」胡太后訝異的問，爲崔浩惋惜不已。

「我只有兩隻手，只拿得動兩匹。」崔浩諷刺地回答。眾人看看自己，不由得羞赧的低了頭。

胡太后很愛漂亮，每次出去以前，都要修飾化粧半天。臉上擦得紅紅白白，身上穿得珠光寶氣，加上她本來長得嬌滴滴，因此相當惹人非議。有一回，胡太后又打扮得花枝招展出宮，一路上遭到無數注目的眼光。太后知道自己出風頭，十分得意，把頭擡得高高的。

大臣元順，老早就看胡太后不順眼，這回忍不住當面上諫道：『根據禮節，婦人在丈夫過世之後自稱爲未亡人，頭上不簪珠玉，衣上不繡文采。陛下母臨天下，年屆不惑（四十歲），修飾過分，何以對後世？』

這番話說得太后臉上掛不住，急急忙忙返回宮中。然後，胡太后把元順叫來責罵：『你爲何要當衆指出我的錯，是不是存心要我當衆出醜，居心何在？』

元順不慌不忙道：『陛下不畏天下人之笑，而恥於臣之一言乎？』

胡太后無言以對。

閱讀心得

【第181篇】

胡太后修寶塔。

北魏孝明帝即位，由母親胡太后主持政局。胡太后是個花花太后，私行不檢，驕奢淫逸。可是，説也奇怪，她竟然信佛，而且信得相當深。這是什麼原因呢？原來佛教專講因果報應，胡太后因爲壞事做多，天良未泯。她惟恐惡有惡報，害怕自己死後墜入地獄，所以轉向慈悲的佛，求其憐憫。這也是當時佛教流行於上層階級的原因。其實，當時的佛教教義很淺，不爲知識份子所重視，高陽王甚且斥責佛教爲『鬼教』。

北魏的人除了喜歡造佛寺以外，還喜愛建築寶塔表示對佛的尊敬，稱之爲浮屠。

修建佛寺需要大筆經費，國家沒有這一筆預算，胡太后爲了達成心願，竟然下了一道命令——『削減百官俸祿十分之一』，然後，她拿了這苛扣下來的錢建造永寧寺。

永寧寺的規模極大，有一個一丈八高的金像，還有十個如眞人一般高矮的金像，兩個玉像。最奇特的是建造了一座九層高的寶塔，高達九十丈，在京師每個地方都能看得見；寶塔四周都是金寶瓶，瓶子下面垂著金光閃閃的金鈴鐸，浮屠有九層高，角角均懸金鐸。每當夜深人靜，微風吹過，鈴聲叮叮噹噹，聲聞數十里。

永寧寺寶塔圖

此外，永寧寺中建有僧房一千餘間，每一間都雕樑粉壁，珠玉錦繡，佈置得富麗堂皇；而且建築型式參考的是西域和印度的格式，非但中國人以前沒有見過，就是波斯的胡人，一見之下也嚇得吐出舌頭道：『永寧寺的宏麗是世界上從來沒有過的。』

胡太后雖然奢侈浪費，但中國人在一千五百多年前，已經能夠建造如此偉大的工程，也證明了我們祖先的聰明才智。可惜這些華麗的塔寺，因爲歷經劫數，早已蕩然無存。北魏的寶塔留到現在的只剩下嵩山嵩嶽寺的一座十五層高的磚塔，供人憑弔了。

因爲胡太后的好佛，她每次施捨僧侶財物，一出手都是數以萬計。所以，許多人都剃髮當和尚，一方面可享安逸，同時也逃去了兵役、賦稅。

其他王公貴族，爲了炫耀自己的財富，也都紛紛建廟造塔。還有人把個人的田宅捐出作爲寺廟。總之，胡太后當政的時代，是北朝佛教最盛的時候，也是貴族生活最爲糜爛的時候。

當國家朝政日益敗壞之時，北方邊疆的六鎭也開始蠢蠢欲動。

六鎭是北魏初爲了防禦柔然在北方沿邊設置六個據點屯駐重兵。柔然之所以叫柔然，說來很有意思，北魏太武帝仇視這支外患，輕視他們無知如蟲，故命名爲蠕蠕。所以柔然在魏書和北史上記載爲蠕蠕，宋齊梁書中作芮芮，隋書則作蠕蠕，反正都是蟲子。柔然是鮮卑與匈奴混合的血統，過著遊牧生活，文化十分低落。

北魏初，駐紮六鎭，防守柔然的將士可神氣萬分，極難選入；能夠選入者，朝廷並配以高門女子爲婚，所以六鎮非常叫人羨慕。

自從北魏孝文帝遷都到洛陽以來，許多鮮卑人遷都到洛陽，政治重心也轉移到了洛陽。

洛陽距離六鎮十分遙遠，古代交通又不方便，更沒有電話電報之類的通訊設備，於是，在洛陽的中央政府和在六鎮的軍人逐漸疏遠。同時，北魏孝文帝遷都以後，還有一件事也令六鎮將士們大感不滿，從前建都平城之時，六鎮的將士常可以調到中央政府任官，有很好的升遷機會，可是，遷都洛陽以後，六鎮將士便不再有到中央政府任職的機會，這使得六鎮將士滿腹怨恨。

再經過北魏孝文帝的漢化，洛陽的胡人漢化日深，看不起北方六鎮的胡人，認爲他們野蠻無知。六鎮的胡人依舊保存胡化，也看不慣洛陽的胡人，譏笑他們數典忘祖。

以後，駐在六鎮的人都娶不到高門的女子爲妻。南北朝的人是最看重婚宦、門第的，心裏憤怒不平。在六鎮的人不論婚姻或仕途都不及京師的人。洛陽的人似乎成爲清流，六鎮的人成爲濁流；洛陽的人愈變愈有錢，而六鎮的人一天比一天窮苦。所以，雖然是同一種族，已分裂爲二。

同時，六鎮荒蕪以後，許多流氓土匪都竄擾到這個地帶；再加上地方發生饑荒，六鎮響應作亂，北魏的地方，掀起一場驚天動地的亂事。從東邊到今天的河北，西邊到關中一帶，一連亂了許多年，稱之爲『六鎮之亂』。

六鎮之亂加速了北魏的敗亡。那麼，北魏孝文帝的漢化是不是錯了呢？

沒有，但是他的計畫不夠周詳，只注意京師，而不管邊防鎮戍，使得兩地之別有如隔世。可見得凡事不能偏廢。

後來，北魏分裂爲東魏、西魏；又分別爲北周、北齊所篡。最後統一天下者爲隋文帝，結束了近三百年南北朝的混亂局面。

閱讀心得

【第182篇】南朝門第的故事。

在胡太后修寶塔之後，我們暫時放下北朝，回過頭來介紹南朝的故事。

自從魏晉以後，高門大族利用兼併土地爲基礎，再加上以九品中正爲工具，鞏固在政治上的地位。到了南北朝，他們已成爲一種特權階級，尤其是南朝的宋朝、齊朝、梁朝、陳朝。

什麼叫做『九品中正』？那是魏文帝曹丕時代，陳羣建議的方法，把人分爲九等來打操行分數，作爲政府用人的標準。

因爲操行分數的高低，要靠鄉黨裡有名望的人來品評高下；久而久之，高門大族，互相標榜，互相提攜，於是成爲『上品無寒門，下品無世族』，就是說，分數高的可沒有寒門的份兒，分數差的卻也落不到世族子弟。於是，世族與寒門地位相差很遠，生活方式也不相同。世族的子弟，什麼事情都不做，也可以爬到公卿之類的大官。十幾歲就可以出來做官，到了二十七、二十八歲在從政的資歷上已經『很老、很老了』，不管他是否有學問有能力。

例如大書法家王羲之的兒子王凝之，娶了才女謝道韞爲妻子。結婚以後，謝道韞發現凝之雖爲名流之子，實在是個草包，非常的失望。她嘆氣的說：『天壤之間，乃有王郎』，意思是說天下之間，怎麼有王

凝之這種笨蛋？偏偏王凝之以後平步青雲，做到二千石的大官，很受人們尊敬。

相反的，如果出身不好，即使再有學問，也被當時的人所瞧不起。

到溉是梁朝一個極有學問的讀書人，很受梁武帝器重，做到了吏部尚書。到溉爲人十分正直，經常有事和尚書令何敬容相執不下。

何敬容也不就事論事與到溉爭論，他在私底下常對人說：『到溉身上還有餘臭，這小子竟然大模大樣學著當起貴人來了。呸！』說著，掩著鼻子，皺著眉頭，滿臉噁心的樣子。

旁人聽了也哈哈大笑，譏笑到溉自不量力。原來，到溉的祖父曾經做過挑糞的。所以無論到溉如何優秀，人們總是看不起他。

再譬如章華，家中世世代代以農耕爲生，他非常好學，對經史極有研究，在陳朝的時候，被任命爲南海太守。

章華上任以後，本來想好好幹一番事業。可是朝中臣子一打聽：『章華是什麼門第？』『他平日交往的是哪些個世家大族？』結果發現，章華家裡原來僅僅是個種田的。於是十分輕視章華，處處排擠他，不與他合作。最後，章華只好托病辭職。

因爲世族的力量太大，連當皇帝的也惹不起他們。所以萬一皇帝要破格任用寒門爲官，還要特別下一個詔令，以取得世族們的諒解。

在齊朝的時候，齊高帝蕭道成就曾經下達過一個命令：『寒士江謐，本來是沒有資格與豪門一塊競爭。但是江謐的確有才幹，值得任用，可以派他做吏部的官。』

有時候，豪門大族硬是不肯賞皇帝這個顏面的話，皇帝也沒可奈何。

在陳朝的時候，陳宣帝想任用錢肅做爲黃門郎，又恐怕世族會排擠人家，就先找了蔡凝來商量商量。因爲魏晉以後，大臣的子弟，向來看不起郎中或中郎之類的小官，要做就是做黃門侍郎，或是散騎侍郎，兩者並稱爲『黃散』。寒門可是沾不上邊的。

陳宣帝和顏悅色的對世族蔡凝說：『我有意思用義興王的女婿錢肅做爲黃門郎，你的看法如何？』

蔡凝一聽，正色的說：『如果他是皇帝家鄉的舊親戚，聖旨頒下，特別開恩也就罷了。否則的話，像黃散這種職務，需要人地兼美。出身不佳，恐怕不太適合。』

陳宣帝說不出話來，也就只好打消了念頭。可見得，帝王在當時的權勢大減，對世家大族無可奈何。

當時的世族子弟愛好清談，崇尚文學，自命風雅；以病弱的美男子相標榜，當然不樂於從軍。然而，武力到底是政治上最重要的一環，誰握有軍權，誰便掌有政權。世族既然不肯做軍人，國家武事自然只有委託給寒人，所以，南朝的四個朝代的四個創業的帝王——劉裕、蕭道成、蕭衍、陳霸先（即：宋、齊、梁、陳的開國君王）都是出身寒賤，又都藉著當兵打仗起家。所以他們當上皇帝以後，世族並不怎麼看得起帝王。

這些帝王也不像其他朝代的帝王一般，說什麼『王侯將相寧有種焉，好漢不怕出身低』，也不敢說自己『額頭很高，鼻子很長，左邊的大腿上有七十二顆痣，是天生的帝王之相』。

相反的，南朝的帝王似乎很自卑，宋武帝劉裕有一天在宴會中說：『我本來是一布衣，開始時怎麼也想不到會有今天。』齊高帝蕭道成也說：『我本來只是布衣素族，從來也沒有把念頭動到皇帝上面，只因爲時來運轉，才成立了大業。』自輕到此地步。

總之，南朝重視門第的壞風氣，使得社會不公平；做皇帝的非但不能改革，而且承認門第，自削權勢。世族對皇帝既無恐懼之心，又缺乏尊敬之意，如此，造成政治上的混亂，所以南朝沒有一個朝代國祚長的。

閱讀心得

【第183篇】

貴賤不同坐。

在上一回『南朝門第的故事』之中，我們說到，南北朝時代的人看重門第。當時的世族士人以身分與名位自豪，他們看不起寒門庶人（平民），也不屑與寒門庶人往來。反之，庶人則一心一意攀龍附鳳，希望和士人沾到一點兒關係。

譬如當時有一個寒門出身的人蔡興宗，發憤好學，做到了荊州刺史，很光榮的被徵還都。到了京都，聽說第二天晚上的宴席中有右軍將軍王道隆出席，興奮得睡不著覺。

原來，當時王道隆掌管内政，權重一時，可說是朝廷裡最有頭有臉的人物。蔡興宗想到可以當面拜見王道隆，在房間裡一遍又一遍練習見面的應酬語，思考怎樣才能把話說得漂亮、得體，讓王道隆知道自己這些年來掌理荊、湘、雍、益、梁、寧、南秦、北秦八州軍事的政績。

等了又等，捱了又捱，終是熬到了晚宴的時刻。蔡興宗欣然赴宴，到了那兒，冠蓋雲集，場面熱鬧非凡。經過一番推推讓讓的爭執後，上坐的上坐，下坐的也下坐，當然，王道隆是高踞首席。

蔡興宗站在一旁尷尬極了，沒有人請他入坐，他又不敢自己貿然坐上去，呆若木雞，眞不知如何才好。

蔡興宗左顧右盼，希望有人注意到他，可是沒有。其他的人坐下來以後，高談闊論，好不開心，似乎根本沒有注意到房間裏還有他這個人。

『也罷，我上前走幾步，也許他們就會看到我，請我坐下來。』蔡興宗暗自盤算著，一小步、一小步，慢慢地，害怕地，踮著脚挪近了飯桌，幾乎可以碰到王道隆了。

可是，桌上的人仍舊嘻嘻哈哈，好像蔡興宗是個隱形人似的。最後，婢女們端著盤子要上菜了，蔡興宗只好垂頭喪氣的走了。席上的人眼睜睜的看著蔡興宗遠離，連喊都不喊一聲，若無其事的開始大吃大喝。

再如南朝（宋朝）時，有一個中書舍人王宏，向來爲宋武帝劉裕所寵愛。有一天，他向宋武帝稟報道：『臣有一個心願，希望能與士人交往。』

因爲王宏雖然備受寵幸，到底不是士人出身，總覺得差人一截，希望能藉著宋武帝的幫忙，結交幾個士人朋友，擡高身價。

宋武帝就介紹王宏認識王球，王球在士人中說話向來很有分量的。於是，王宏歡天喜地的去拜見王球。

王球當然知道王宏是皇帝介紹來的，卻倒也沒多理睬，到了晚宴入席以後，王宏大模大樣的一坐下，卻發現王球竟緩緩的把扇子舉起，那個態度，那個眼神，分明是在下逐客令。

王宏楞住了，心想，我是皇帝介紹來的，非比尋常，總不能這樣一走了之。卻見滿座的人都用鄙夷的眼光冷冷地瞅著自己，王球的手仍高高舉著扇子，眼睛望著門外，他好像覺得，對王宏這種人說一聲『滾』都有辱門風似的。

最後，王宏被逼得不能不站起來，他氣呼呼的衝出了門外。肚子裏一團怒火熊熊的燃燒著，愈想愈不甘心，決定去找皇上告狀去。

王宏到了皇宮，委屈萬分地把所受的羞辱陳述了一遍。本想宋武帝應該有所處置的。

沒有想到，宋武帝長長嘆了一口氣道：『這件事，我也沒可奈何啊。』

更過分的，甚且世族與寒門即使是同事，世族也不肯降低身分，與平民坐在一起。

在宋朝時，狄當、周赳與張敷同爲中書舍人，掌管要務。其中，張敷是新上任的，但他因爲出身世族，顯得格外神氣。

狄當想邀請周赳去拜望張敷。周赳說：『算了吧，他恐怕自以爲了不起，不肯接待我們的。』

『這算什麼話？』狄當胸有成竹的說：『我們現在和他一樣，同樣做中書舍人的官，難道你還怕他不肯和我們同坐？眞是的！』

周赳想想這話也有道理，大家在辦公室坐在一起做事，又有什麼不能同坐的呢？於是，他們兩人就通知張敷，某年某月的某一天，他兩人將登門造訪。

張敷沒有說答應，也沒有說不答應。在客人來臨之前，他先擺了兩張床榻，放在離開牆壁約莫三、四尺的地方。

等到狄當、周赳兩位客人就席以後，張敷不跟他們談話，僅僅淡淡的說了一句：『把我這兩位客人移開遠一點。』意思是叫他兩人坐到預先擺好的兩張床榻上。嚇得狄當、周赳兩人大驚失色而去。

在當時，非但世族看不起一般平民，平民也看不起自己，具有很強烈的自卑感。

可是，當時的人並不認爲王道隆、王球、張敷這些人矯情，反而認爲世族們有風格、有原則，說他們不會爲了權勢，而與那低賤的平民同坐。

風氣如此，南北朝又如何不衰弱呢？

閱讀心得

【第184篇】

門不當戶不對。

中國古人論及婚姻，從來沒有所謂『婚前戀愛』。婚後如果夫妻感情不和，男的反正可以置妾，娶小老婆，女的只有自怨命薄。當時人們最講究的是門當戶對，這種觀念在南北朝時代尤其明顯。

上次說過，南北朝時代世族與平民不相往來，甚且到了貴賤不同坐的地步。當然要士庶（庶是平民之意）結髮為夫妻，拜天地，入洞房是一件不可能的事。

梁武帝時，大將侯景為了給梁武帝找麻煩，故意要梁武帝幫忙找王家或是謝家的女子為婚。梁武帝說：『王謝門高非偶，可於朱張以下訪之。』意思是說：王家、謝家的門第太高，並非理想的配偶。你如果有意思，不妨在姓張的、姓朱的以下人家，尋訪理想的對象，我還可以為你幫點忙。可見得貴賤不通婚的觀念，連皇帝都沒有法子打破。

南朝是如此，北朝也是如此。例如北魏崔巨倫有一個姐姐，叫做崔明惠，極為賢慧，可惜瞎了一隻眼睛，所以沒有媒人上門提親。

古代講究女子無才便是德，一個女人除了做家庭主婦外，根本沒有別的地方貢獻智慧才力。所以，出嫁成為一件最為重要的事。眼看著明惠年紀一天比一天大了，她的家人都著急不已。

喜

『我看這樣吧，既然在世族中找不到合適的對象，恐怕只有把明惠嫁給平民。這樣對明惠雖然委屈一些，總比待在家裡要好！』最後，崔家的人想出下嫁給庶族的計策。

明惠的姑媽聽到這個消息，立刻放聲大哭道：『想我哥哥道德學問首屈一指，不幸很早就過世了，留下他的寶貝女兒，竟要去侍奉卑族，可憐噢……』於是，姑媽決定爲兒子納聘，自己把明惠娶進門，當兒媳婦。明惠終於不必與寒族爲婚，大家都稱讚她姑媽有義氣。在當時看來，即使世族殘廢，也還是比寒門高上一級。

當時有沒有世族寒門通婚的呢？也有。這是當寒門特別有錢，而世族特別窮困時。因爲世族徒有高門第，好家世，然而養尊處優，不事生產，因此許多世族家中的境況並不太好。

例如齊朝世族王源因爲家中貧苦，把女兒嫁給庶人滿氏，爲的是貪圖那五萬塊錢的聘禮。『王滿聯婚』的消息傳出後，不得了，人人談論這件驚世駭俗的社會新聞。而有一個叫沈約的竟然上了奏章去彈劾王源，認爲此人『破壞士風』。

不久，看在金錢的份上，也有不少世族與寒門結爲姻緣，很爲世人所瞧不起，這種都可以稱之爲『財婚』。而從那時開始，凡是婚嫁無不斤斤計較聘禮多少。

有一個叫封述的人比較吝嗇，當他爲第一個兒子娶媳婦時，一直到要成禮之時，仍在爲聘禮多少爭來吵去。當他爲老二娶媳婦時，更鬧到衙門裡去了，他氣咻咻的説：『送騾乃嫌跛的，送田又嫌田鹹薄，送銅器又嫌古廢。』可見得聘禮多少成爲南北朝時爭論的話題，這種無聊的風俗習慣相沿至今。

因爲高門看在利的著眼點上也開始與寒門結婚，北魏文成帝在和平四年十二月特別下了一個詔書：『今制皇族師傅、王公侯伯及士民之家，不得與百工技巧卑姓爲婚，犯者加罪。』

因爲庶族以攀附高門爲光榮，所以高門的女子吃香得很，甚至再嫁夫人都極受歡迎。

例如在北魏有個叫盧道虞的，他的女兒嫁給石衡將軍郭瓊的兒子，可説得上是門戶相當，佳偶天成。後來，郭瓊犯了罪，被判了死刑，他的兒子當然也削了官，盧道虞的女兒就由朝廷做主，改嫁給陳元康爲妻。

陳元康乃爲平民出身，聽說可以娶一個世族的女兒，也不在乎她是否結過婚；事實上倘非如此，這種好事怎麼會落到他陳某人頭上？他興奮得連話都說不出來。陳元康從未見過盧道虞的女兒，當然也談不上感情。爲了迎娶她，趕緊把原來的妻子李氏拋棄，眞可謂標準的勢利眼。

又如，有一叫孫搴的，出身寒微，然而作戰有大功績，皇帝特別將世族韋氏嫁給孫搴，難得的是韋家也應允了。

韋氏非但沒有缺手斷腿，沒有嫁過丈夫，而且長得相當秀麗動人，孫搴樂得快要瘋了。當時的人也都羨慕萬分嘆息道：『這小子眞有福氣，我怎麼沒有這個命？』

另外，我們再講一點南北朝婚姻的奇異現象：第一是奢侈、浪費，許多窮人因爲沒法負擔這個排場，竟然因而終身不娶。另外爲斂財而成親的買賣式婚姻也不少。當時南北朝許多皇帝，例如南朝南齊武帝，北朝的北魏文成帝都曾下詔昭示婚禮節約，不過沒多大用處。

此外，南北朝有早婚的習俗，北魏獻文帝生孝文帝時才十三歲。後周武帝下詔，竟然明白規定男年十五、女年十三皆須以時嫁娶，那眞是娃娃新郎、新娘了。

閱讀心得

【第185篇】

保家不保國。

『忠臣不事二主』，向來是中國人最著重的道德觀念；但是在南北朝時代，讀書人缺乏氣節，保家不保國，造成了一百五十年的紛擾不安。

南北朝時代的世族，地位崇高，他們自命爲風雅，不喜歡動刀耍槍，看不起武人。所以國家的軍權完全掌握在寒門手中，甚且南朝四個創業開國的帝王：宋朝的劉裕、齊朝的蕭道成、梁朝的蕭衍、陳朝的陳霸先，都是出身寒門。雖然朝代屢次更換，許多世族依然保持極高的社會地位，因為他們沒有中國傳統的忠君觀念。改朝換代之時，並沒有殉國之臣。

例如有個宋朝的人王儉，他母親是武康公主，他自己又娶了陽羨公主，算得上是宋朝的外戚。王儉眼看當時宋相蕭道成很有野心，又被小皇帝劉昱所捉弄。於是，有一天，王儉去看蕭道成。

『自古以來，經常功勞大反而得不到獎賞；以蕭公您今天的地位，怎麼能夠長久當人家的臣子呢？』王儉巴結地說。

『胡說，這種話不能亂講。』蕭道成嘴裡喝斥著王儉，神色之間卻十分開心。

王儉又接著道：『這年頭人情澆薄，以您的地位，萬一有些什麼小差錯，不但權位喪失，恐怕這昂藏七尺之軀都難保啊。自古道，功勞太大了

會使皇上不安的，所謂功高震主是也。』

『嗯，你這個話說得也有些道理。』蕭道成笑咪咪的點點頭。

當時，蕭道成是輔政大臣，王儉建議不妨再加黃鉞（黃鉞是一種儀仗隊，古代權臣在篡位常加黃鉞，增加威望）。

有人說：『這件大事，最好還應該讓褚彥回知道。』

『褚彥回這個人恐怕不好對付吧！』蕭道成沉吟著。

說起褚彥回的大名，在宋朝是誰人不知、無人不曉。他的家世很有來頭，母親是始安公主，繼母是吳郡公主，娶的夫人又是巴西公主。

褚彥回生得十分俊美，一舉一動，俯仰進退，都別有一番風采。每回他上朝，不但一般大臣對他頻頻注目，連西域使節也都對他行注目禮；一直到他離開了，人們的眼光仍然戀戀不捨盯著門外。

前面説過，南北朝時代的人非常重視容貌的，褚彥回的美，使得宋明帝嘆口氣道：『就憑彥回能這樣遲行緩步，他就有當宰相的資格。』

因爲褚彥回的英俊，挑起了山陰公主的興趣，她常常偷看這位美男子。後來，山陰公主就央求皇帝把褚彥回召回。

山陰公主一連十天，天天想盡辦法挑逗褚彥回，褚彥回一直是繃著臉不爲所動。山陰公主屢試不成，氣憤的説：『看你，鬍子倒長得像把小刀般鋭利，怎麼一點膽子都沒有，還算是男子漢大丈夫嗎？』

褚彥回沒有被激將法攪昏了頭，他優雅的一下拜道：『我雖然不聰敏，卻知道什麼是該做的，什麼是不該做的。』

後來，褚彥回的官位愈升愈高，做到了吏部尚書。一天夜晚，有個人鬼鬼祟祟來見褚彥回。

『一點點小意思，不成敬意。』這個人從寬大的衣袖中，掏出一個金餅塞到褚彥回的手裡，黃澄澄的金光在晚上特別耀眼。

『這個我不能拿。』褚彥回生氣地說。

『哎呀，反正沒有人知道嘛。』來人不肯收回。

『什麼叫做沒有人知道。如果你本來應該做這個官，用不著拿來這個金餅。如果你非要送，那好，我馬上稟報朝廷治你！』褚彥回斬釘截鐵的說，把那個企圖行賄的小人嚇得落荒而逃。

因爲褚彥回有柳下惠坐懷不亂的美德，再加上有不收紅包的先例，所以蕭道成認爲要對付褚彥回十分困難，他一定不肯幫助自己奪取帝位。可是左右的人說：『別急，褚彥回雖不愛財，但他要保妻子，愛性命，除非他有奇才異節，我不相信他敢違抗。』

結果，果然，褚彥回還是乖乖聽蕭道成的話，因爲保家不保國，這是當時的風氣。

再如齊朝有個叫馬仙琕的人，當初蕭衍梁武帝起兵討伐齊朝時，他死命抵抗，一直到最後，慷慨激昂的對部將說：『我受朝廷任命，在道義上說，不能投降，可是各位家中還有父母，你們去吧！去做一個孝子，不要再打仗了，我要當齊朝的忠臣。』

可是當梁武帝把他捉到了京城建康，他流著眼淚說：『小的我像是喪家之犬，只要後來的主人肯飼養我，我會好好効忠的。』於是馬仙琕又做了梁朝的將領。

南北朝時代的『忠臣』，就像馬仙琕所說的：『如失主犬，後主飼之，便復爲用。』全然無廉恥之心，保家不保國，難怪當時宋、齊、梁、陳都是短命的朝代。

閱讀心得

【第186篇】哭墓的報酬。

在南北朝時代，任官有兩種辦法，一種是用九品中正來選舉，另外一種是朝廷銓選。什麼是九品中正，我們已一再解釋過，那是把人分為九等來打操行分數，作為政府用人的標準。選舉權完全被世族把持，所以並不公平。朝廷的銓選又如何呢？

在宋朝時，有一個人叫做劉德願，他粗魯又莽撞，因為承襲了父親的官爵才得以在朝廷任官。宋孝武帝看不起劉德願，常常有意無意欺負他。

一次，宋孝武帝的寵妃殷貴妃不幸因病去世了。殷貴妃美麗又溫柔，宋孝武帝最爲寵愛她，因此非常傷心。

殷貴妃下葬以後，孝武帝帶領群臣來到了墓地，想到嬌豔的美人只成一抔黃土，心裡酸酸的轉頭對劉德願說：『貴妃死了，你怎不哭？哭得好，朕有賞。』

皇帝的話還沒有說完，劉德願已經一頭栽到了墳前，雙手抱著墓碑，哭得驚天動地，不但用力的搥打自己的胸，而且又跳又叫，幾度昏厥在墓前。那個光景，好像殷貴妃既然死了，我劉德願活下去也沒有意思了；其實他與殷貴妃非親非故，連面都沒有見過哩。

宋孝武帝看到劉德願涕泗交流，唱作俱佳的表演非常欣賞，當即任命

大宋殷氏貴妃之墓

劉德願爲豫州刺史。另外有一個叫羊志的，哭墓也哭得呼天搶地，以至於後來喉頭哽住不能說話。孝武帝也相當欣賞他的表演。後來有人問羊志：『你哪兒來這副急淚，說流就流了？』

羊志說：『實不相瞞，我剛死了愛姬，心裡頭一酸，眼淚自然泉湧而下了。』

這是利用自來水龍頭升官的妙法，此外還有更加荒唐的——利用博弈（下圍棋）來謀取官位。南北朝最普遍的博是樗蒲，亦就是圍棋。

什麼是樗蒲？樗蒲又稱爲五木之戲，玩的時候用五個骰子，骰子上面是黑色，下面是白色，如果一扔出去，五個子全是黑色，稱之爲『盧』，表示中了頭采，如果兩個白的三個黑的是第二采，以下類推。玩樗蒲的時候，人們常嘴裡吆喝著『盧』『雉』，所以俗稱這種賭博為『呼盧喝雉』。在南北朝時代，無論君王貴族或是販夫走卒，人人都愛好這種遊戲，嗜之如狂。而且賭注下得很大，經常一擲千金，因此後世稱擲骰賭博為『呼盧喝雉』。

在宋朝的時候，顏師伯家財萬貫，他特別喜歡玩上兩手樗蒲之戲。有一天，顏師伯與孝武帝共玩一場。開始的時候，孝武帝的手氣很順，龍心大悅，笑逐顏開。

下面該輪到顏師伯擲了，他把五個骰子一甩出去，骰子在空中打轉了一會兒，面朝上的竟然是黑的，也就是得到盧了。

這個時候，孝武帝的臉色一下陰暗了下來。顏師伯心想：『糟了，怎麼可以贏皇上呢？莫非不要命了。』順手把骰子全收了回來，若無其事的說：『哈，剛才差點兒作盧，可惜了。』

然後，顏師伯開始故意放水，存心讓孝武帝贏個痛快。結果，一場遊戲下來，顏師伯竟然足足輸掉了一百萬。不過，他這一場樗蒲之戲輸得挺划得來，因爲孝武帝一高興，竟然把顏師伯遷爲吏部尚書、右軍將軍。

南北朝時代不但朝廷選官，視同兒戲。又因爲政府財政困難，經常以出賣官職換取錢財。例如在北魏時代，官有定價，大郡的長官二千匹，次郡一千匹，下郡五百匹。但是到了後來，沒有那麼許多州郡好賣，於是空立州郡，設置牧守。在太和年間，有官職而無事可幹的官兒竟有一萬多人。

什麼人有錢買官職呢？一般百姓買不起，商人買得起。南北朝時代烽火遍地，通商困難，商人必須要靠地方官吏或將領的協助，官吏也剛好利用這個機會拿紅包，官商勾結，無往不利。後來，商人自己花些銀子買個官做，當然更加得心應手了。

在這種政局不安，政風敗壞的情況之下，最苦的當然是一般老百姓。中國以農立國，農民的生活一向辛苦，『樂歲終身飽，凶年不免於死亡』，再加上戰亂屠殺以及連年饑荒，老百姓苦不堪言。爲了繳納重稅，甚且有人賣妻賣子以納稅，眞是『苛政猛於虎』。

從南北朝時奴婢特多，也可以顯現人民的苦難，因爲奴婢的產生主要由於戰爭與貧窮。講到這裡，我們發現政治清明與否，與我們每個人的生活息息相關，不論古今中外都是一樣。

戰爭的俘虜成了奴婢，貧窮的人過不了日子也只好賣身爲奴婢，奴婢愈多愈反映當時社會問題的嚴重。

閱讀心得

【第187篇】

高歡的奇骨異相。

我們把南北朝的門第、婚姻、政風，做了一個簡單的介紹之後，現在再回過頭來看看，北魏自從胡太后荒淫亂政以後如何？

在『胡太后修寶塔』中說到，當北魏的朝政日益敗壞，邊疆爲防禦柔然而設置的六鎮也開始造反。這場亂事出現了兩位軍事領袖，一是宇文泰，一是高歡，今天我們就要講高歡的故事。

高歡是晉朝太守高隱的後代，傳到他祖父高謐時，因爲犯了法，充軍到六鎮，擔任兵戶。

前面說過，中國人分辨胡人、漢人，常是以文化爲分野，而不是以血統爲區別。高歡雖然是一個漢人，然而世代居住在北邊，他的生活一切依照鮮卑的習俗，他爲自己取了一個字——賀六渾。完全是一個胡人的名字。

高歡長得是長頭高顴、齒白如玉、目有精光，一副厲害精幹的模樣。他小的時候家裡很窮，後來因爲娶了一個有錢的妻子才得到一匹馬，得以在鎮上當一名小小的隊主。

因爲北魏孝文帝遷都洛陽，洛陽到六鎮距離遙遠，需要許多信差傳遞公文。高歡得了一個機會就由隊主轉爲函使。揹著公文袋，由懷朔鎮（六鎮之一）到洛陽送公文，這一個工作他做了六年之久。

根據北齊書的記載，當高歡擔任函使的時候，一路上碰到許多奇怪的景象，而且好像有老天爺暗中庇佑他。最奇怪的是有一次：

高歡和一群朋友去打獵，在沃野這個地方看見一隻赤兔。於是他們趕緊放出白鷹前去捕捉，誰知這隻赤兔非常矯健，好幾次幾乎被他們給逮著了，一溜煙卻又溜走了。

一群人跟著赤兔一路奔逐，到了一片沼澤地，澤的中央蓋了一個破爛的茅草屋。有隻狗自茅屋中竄出，一下子就咬死了白鷹與赤兔。

看見自己的獵物竟然被該死的狗給咬了，高歡大怒，拿出鳴鏑一箭射死了狗。這時，茅屋中有兩個彪形大漢跑出來，揪住了高歡的衣襟，生氣的說：『你小子發什麼神經？把我們的狗還回來！』

步出，她喝斥道：『不要為這件小事觸怒大家。』

『孩兒，不得無禮。』正在此時，有個瞎眼的老婆婆拄著拐杖自屋中

那兩個彪形大漢雖然餘怒未消，但礙於母命，也就不再和高歡爭執了。

老婆婆道：『來，到我家吃頓中飯吧，孩兒，把羊給宰了待客。』她

轉頭命令了兩個兒子張羅菜肴，就牽著高歡的手來到了屋內。

老婆婆對這些訪客似乎很感興趣，不斷問長問短，而且一一為他們摸

骨看相。當她摸到高歡的臉時，不禁大呼：『此乃貴人異相，世所罕見啊。』

吃完了飯，一行人告退後。走了數里路，他們談起老婆婆的看相，覺

得挺有意思。再折回去尋訪，竟然看不見茅屋，沼澤一帶根本從來無人居

住。看來他們不是見了鬼，便是遇到了神仙；因此對老婆婆的摸骨更加深

信不疑，諸人對高歡不免另眼相看。

高歡究竟有沒有遇到摸骨老婆婆，誰也不敢說。不過史書中對創業帝王總是有許多近乎神話的傳說。這是因爲想要推翻前代朝廷的人，爲了贏取民心，經常編造一些神話，表示此乃天意也。

話說高歡在當了函使之後，每次從洛陽回到懷朔鎮，總是拿出錢來大請特請，幾乎是傾家蕩產在結交朋友。

高歡的親友們看著奇怪，問他道：『你這是幹什麼嘛。』

高歡笑笑道：『自有道理。我當函使到了洛陽，看到了宿衛羽林相率焚燒領軍張彝的住宅，朝廷害怕亂事擴大竟然不聞不問，可見得政治腐敗到了什麼地步了。』這句話隱含的意義是：高歡有野心奪取天下。

所以當六鎮開始造反時，高歡毫不猶疑參加了拔陵的部隊。拔陵失敗，他又先後參加了杜洛周及葛榮的部隊。當爾朱榮的勢力擡頭，高歡希望再轉到爾朱榮手下。

爾朱榮起先看到高歡，滿臉風霜，面容憔悴，不怎麼欣賞。

高歡回去後梳洗打扮一番，換上了新衣再次求見爾朱榮。

爾朱榮一言不發，把高歡帶到了馬廄，牽出一匹惡馬。冷言道：『你騎騎看。』

原來這是一匹頑劣的奇馬，沒有誰能馴服牠。高歡一躍而上，狠狠的踢了幾下馬肚子，說來也奇怪，那匹馬竟乖乖的被高歡騎著轉了一圈。高歡神氣地說：『御惡人亦如御惡馬也。』然後，從從容容、漂漂亮亮的轉身下馬。

爾朱榮大爲佩服，把高歡請入密室商談。高歡說：『聽說公在十二個山谷分別養了十二群馬，用顏色區別之，這用來做什麼呢？』

爾朱榮不答，反問一句：『依你的意思如何？』

高歡說：『現在天子愚弱，太后淫亂，朝政不行；以公之雄武，乘時奪取天下，霸業可成，這是我賀六渾的意思。』

這句話，打入爾朱榮的心坎裡。以後，高歡成爲爾朱榮手下一等一的紅人。

後來，爾朱榮討平六鎮之亂，進兵洛陽，殺掉了胡太后等二千餘人，然而爾朱榮也被殺。高歡遂代爾朱榮成爲一方霸主。

閱讀心得

【第188篇】杜弼冒冷汗。

在上一篇『高歡的奇骨異相』中說到，高歡代替爾朱榮，平定了北魏的亂事。

高歡當權以後，相當跋扈，北魏的皇帝孝武帝受不了高歡的跋扈，逃出洛陽，投奔關中，依附鎮守長安的鮮卑人宇文泰。

因此，當高歡進軍洛陽的時候，皇帝已經逃走了，他只好再立一個新君——孝靜帝。於是，統一不到一百年的北方分爲東西兩部份，東魏由高歡控制，西魏由宇文泰控制。

高歡封自己爲大丞相、太師、天柱大將軍、定州刺史。將兒子高澄封爲侍中，神氣活現。

他爲了控制國內的情勢，一手拉著漢人，一手拉著鮮卑人。希望能夠和衷共濟，共同爲他効命。

所以他對鮮卑人說：『漢人是你們的奴隸，男的爲你們耕田，女的爲你們織布，讓你們吃得飽、穿得暖，爲什麼還要老是欺負漢人呢？』

同時他又用漢語對漢人說：『鮮卑人是你們的客人，拿你們的一斛粟、一匹絹，爲你們抵禦外侮，保護你們的安全，爲什麼還要痛恨鮮卑人呢？』

事實上，當時東魏胡人對漢人的確不太公平，鮮卑人十分輕視漢人，除了一個人——高敖曹除外，因爲他很能打仗，連高歡對他都敬畏三分。高歡號令將士，一向是用鮮卑語，但是當高敖曹在列，高歡一定說漢語。其實高歡自己本來是個不折不扣的漢人，只是胡化了，成爲一個胡化的漢人。

有一天，高敖曹與劉貴在閒坐談天，忽然一個士兵進來通報：『糟了，外頭治水的役夫被溺死好多，情況悽慘。』

劉貴連眼皮也不翻，逕自喝著酒：『漢人一條命也不值一個錢，隨他們去死，大驚小怪幹什麼？』

高敖曹是漢人，一聽之下，怒氣衝天，拔出尖刀就對準了劉貴的喉頭。

劉貴嚇了一跳，連著退後幾步：『你要做什麼？』然後溜出了營外。

高敖曹也來到營外，開始鳴鼓會兵。於是隸屬高敖曹旗下的士兵紛紛攜刀帶劍前來會合。一時之間，殺氣騰騰，好像馬上要開戰了。這個時候，侯景等人紛紛前來勸解，說了半天，高敖曹決定不出兵，然而還是餘怒未消。他一個人用力踏著大步來到了高歡的丞相府，求見高歡。

來人通報之後，久久卻不見請入。原來高歡知道高敖曹滿肚子的怒火，很難對付，乾脆來一個不見。

高敖曹左等右等等了半天，仍然不見動靜，氣得拿起弓箭，對準相府的門射去。高歡相府中的僕役著急的稟報：『不得了，高敖曹竟然對著相府射箭。』

高歡知道了，也並不責備高敖曹，因爲胡漢不公平，本來是一個沒法子解決的大麻煩。此外，漢人對胡人的貪污暴虐也十分不滿。曾經有一個行臺郎中杜弼認爲文官貪污太過嚴重，希望高歡嚴加懲治，以維繫人心。

高歡對杜弼說：『我告訴你，天下貪污這個習俗由來已久。我也不是不知道拿紅包是一個陋習。但是目前督將的家屬多半住在關西，西邊的宇文黑獺（就是宇文泰）正在多方利用家屬引誘我的將領。南朝又有蕭衍（梁武帝）那老頭兒，講什麼衣冠禮樂，使得中原士大夫，紛紛以爲梁朝的蕭衍才是正朔所在。我如果採納你的建議，急急於整飭綱紀，鐵面無私，那好啦，督將都跑到黑獺那邊去了，士子全部投奔到蕭衍手下。人才都走光了，還成什麼國家？你的話我記在心裡，不過恐怕還要過一段時間才能實行。』杜弼也不敢多言。

過了不久，高歡準備要出兵，正在緊鑼密鼓之時，杜弼又來求見。杜弼說：『如果要出兵，必定得先除內賊。』

『誰是內賊？』高歡反問道。

『勳貴掠奪百姓無法無天，難道不是內賊？』杜弼痛心的說。

的確，那些個鮮卑將領們，仗勢欺人，老百姓敢怒而不敢言，相當悲慘。杜弼覺得十分奇怪，莫非高歡一點也不清楚外界的情形？

高歡不回答杜弼的問話，他『啪啪』的一拍手，立刻之間，殿前聚集了許多軍士，有的張著弓，有的舉著鞘，夾道羅列。然後，高歡命令杜弼從道間穿過。

一聽此言，杜弼嚇得滿頭大汗，但是他不敢違抗命令，只有硬著頭皮往前走。

杜弼不敢擡頭看那些亮晶晶的刀劍，又不知道高歡爲什麼要這樣做，低著頭，一步一步小心往前挪。稍不留神，臂膀碰到了冰涼的鋒口，嚇得他一哆嗦，這一驚又害杜弼看到了這些軍士的臉，目露兇光，實在怕人。

杜弼好容易走完了這一段路程，面色死白。高歡這才道：『矢雖注不射、刀雖舉不擊、鞘雖按不刺，瞧你嚇得亡魂失膽。要知道這些軍士衝鋒陷陣，百死一生，就算有點貪污，也是情有可原，不可以與一般人相提並論。』

杜弼連忙叩頭道：『是是是，還是丞相高明。』

其實，高歡所講的是不對的。每一個國家、社會，都有黑暗、錯誤的地方，如果一意姑息，爲患更大。譬如說貪汚，這雖然不是一件好事，但是至少貪汚者必處以適當的處罰，如果說像高歡一樣，當政者不但不以爲恥，而且想辦法庇護貪汚者，那將是什麼樣的情形呢？

閱讀心得

【第189篇】

高澄羞辱孝靜帝。

中國古代的皇帝享有絕對的權威，只要帝王自己願意，他可以做任何他所要做的事，因此皇帝向來是人們所羨慕的對象。但是有的時候，皇帝的境遇也相當的悲慘，譬如今天我們要講的東魏孝靜帝。

前次說過，高歡趕走孝武帝，另外立了一個孝靜帝傀儡皇帝，自己掌握一切政權。

孝靜帝生得清秀文雅，愛好文學，當時的人認爲他有魏孝文帝的風采。

因爲高歡剛剛把孝武帝趕走，心中頗有幾分慚愧。因此雖然大權在握，表面上對孝靜帝還是客客氣氣，任何事情，無論大小，都要稟報孝靜帝，聽候他的旨意。

孝靜帝信佛，經常舉行法會。每次赴法會之時，高歡恭恭敬敬，捧著香爐，跟在車輦旁邊（輦，皇家坐的車子），鞠著躬，屏著氣，小心翼翼的承望顏色。

其他的臣子看到高歡惶恐的樣子，對孝靜帝當然也是十分恭順，生怕怠慢了孝靜帝。

等到高歡去世，他的兒子高澄襲位，情況就大不相同了。高澄一向討厭孝靜帝，對孝靜帝十分倨傲。他還派了中書黃門郎崔季舒，專門窺伺孝

靜帝的一舉一動。

『那個癡人最近怎樣了？』『癡人的病如何啦？』『你要小心看牢癡人！』高澄時常向崔季舒叮嚀著，孝靜帝乃堂堂一國之君，竟然被臣子喚爲癡人。

有一天，孝靜帝到鄴東地方去打獵，舒散身心；馬鞭一揮馳逐如飛。這時，監衛都督趕緊騎了一匹快馬自後面追來；一路趕，一路叫嚷著：『天子莫走馬，大將軍會生氣的。』

因爲孝靜帝萬一騎馬受了傷，有個三長兩短，著實麻煩。所以孝靜帝連騎馬的享受也被剝奪了。

過了不久，高澄舉行宴會，他舉起杯對孝靜帝說：『臣澄勸陛下酒。』

神情相當傲慢，完全不像一個臣子對待君王的態度。

孝靜帝心裡很不開心，冷冷地說：『自古無不亡之國，又何必把朕擺在這兒？』

『呸，朕！朕！狗脚朕。』高澄怒斥道，然後命令崔季舒揍了孝靜帝三拳，憤憤而出。

第二天，高澄又叫崔季舒去向孝靜帝賠罪，孝靜帝爲著表示自己的大度，送給崔季舒四百疋綵。

回到後宮，孝靜帝愈想愈覺得人生無趣，隨口詠出謝靈運（南朝大詩人）的一首詩：『韓亡子房奮，秦帝魯連恥，本自江海人，忠義感君子。』他詠詩的含意是說，韓國滅亡了，張良（字子房）奮勇抗敵；秦朝稱帝，魯仲連覺得恥辱，他現在也正需要忠義君子來相助。

當孝靜帝吟詩流涕的事情傳出之後，有幾個大臣合起來想幫助孝靜帝。首先他們挖了一條地道從宮中通到千秋門。看門的守衛覺得地下響動，好生奇怪，上告高澄，高澄派人把在地下挖地道者一網打盡。

然後，高澄帶著一營兵，氣沖沖的入宮道：『陛下何必要造反？想我父子二人功在社稷，哪一點有負陛下？這一定是陛下左右嬪妃所幹的好事，來人啊，快把胡夫人及李嬪給我綁起來！』

孝靜帝氣得臉孔脹得通紅，他正色道：『自古以來，只聽說臣子造反，哪裡有皇上造反的？你自己要造反，何必責備我？我殺掉你國家才能平安無事，不殺你則國家滅亡無日。你如果要殺我，或早或晚看你的意思，何必怪罪於嬪妃？』

高澄一聽，急忙跪下叩頭，大呼謝罪。因為縱使他掌理一切權柄，但是在君臣倫理觀念下，帝王仍然具有一種心理上的威力，使臣子戰戰兢兢。

東魏武定五年間，梁朝有個將領蘭欽的兒子蘭京被東魏所俘虜。高澄把蘭京派到廚房去當膳奴。蘭欽屢次要求用錢把兒子贖回去，高澄總是不肯。

一次，蘭京又前來懇求，把高澄惹煩了，他指著蘭京的鼻子說道：『你要再來嚕嗦，我就把你給宰了！』

不久，高澄有一次在進食時，蘭京捧著食物上來，高澄立刻把他趕走，並且對左右說：『昨天晚上我夢到這個奴才拿刀砍我，我應該早點把他殺掉才好。』

蘭京在門外聽到這番話，偷偷把一把刀藏在盤子下面，再次走進來。

高澄一看到蘭京，不由得發火道：『我並沒有要食物，你又來幹什麼，快快滾出去！』

『我啊，我來殺你！』說著蘭京一刀揮過去，高澄嚇得躲到床底下。然而蘭京的同黨把床搬開，殺掉了高澄。

高澄的死訊傳出之後，孝靜帝連忙拜天謝地，並且對左右說：『大將軍（指高澄）今日已死，這是天意，朝廷的威權又要收歸皇帝了。』

閱讀心得

【第190篇】

孝靜帝禪位。

高澄被殺，高澄的弟弟高洋聽到消息，很鎮定的率領了一部份士兵，衝入高澄家中，把參與謀殺高澄的人砍得一塊塊的，血肉橫飛。然後他顏色不變的走了出來，對大家宣佈：『一個奴才造反，高澄大將軍受了一點輕傷，沒有什麼關係。』其實這個時候，高澄早已死去，高洋惟恐人心不安，故意祕不發喪。

過了不久，高澄去世的消息漸漸傳出，被高澄當成奴隸、隨意打罵的孝靜帝高興地說：『大將軍今天已死，這是天意，哈！哈！』

孝靜帝正在爲高澄的死暗自欣喜之時，高洋已經率領八千武士，帶著刀劍闖入宮中，神氣地說：『臣有家事，須到晉陽走一遭。』然後旋風一般，率領著武士昂然出宮。

留下孝靜帝一個人楞在那兒，他自言自語道：『又是一個不相容的角色，朕不知死在何日。』

高澄去世之後，高洋表現得可圈可點，神采飛揚，言辭敏捷。臣子們都看呆了，因爲在他們心目之中，高洋原是一個窩囊的小角色。高洋是高歡的第二個兒子，高澄的弟弟。當高歡尚未發達以前，常常擔心過不了寒冬，那個時候高洋年紀很小，還不會說話，忽然冒出一句話『得活』，把家

人嚇了一大跳。因此，高歡很喜歡這個二兒子。因爲這個原因，高澄對高洋心懷嫉恨。

高洋知道哥哥高澄不喜歡他，高澄又大權在握，因此處處讓著高澄。只要是高澄喜歡的漂亮衣服、精緻擺設，他都送給高澄。

高澄因此十分輕視高洋，對人們說：『像他這種人也能得到富貴，相書中也不知道怎麼說的。』

其實，高洋是故意裝傻，明哲保身，他聰明厲害著哪！

到了第二年的春天，一天早上，高洋對別人說：『昨天我做了一個夢，夢到有個仙人拿了一支毛筆在我額頭上點了一下，我就驚醒了，這是什麼意思啊？』

有個會拍馬屁的臣子一聽此言，連忙跪下叩頭道：『恭喜大王，大王現在是齊王，王字上加一點，這不就是主嗎？表示大王應該當皇帝啊。』接著不停有人陸陸續續進言，建議高洋接受禪讓，自己做皇帝。什麼叫做禪讓呢？我們曾說到，堯把帝位讓給舜，舜把帝位讓給禹，稱之爲『禪讓政治』。因爲禪讓是表示前一個朝代的帝王，自己願意放棄權力讓位給新的一個王朝的創業帝王，因此後代許多想篡位的臣子便藉『禪讓』的美名逼前一朝皇帝讓位，表示是你看我聖賢心甘情願讓位給我的。

高洋聽了臣下的勸告，告訴他母親。他母親板著臉教訓高洋：『你父親高歡如龍，你哥哥高澄如虎，他兩人一輩子侍候皇上。你是什麼人，噢，竟然想效法堯舜的故事嗎？』

聽了母親的教誨，高洋有些兒垂頭喪氣，徐之才勸告高洋說：『正因爲你的才能比不上父兄，你更是非篡位不可。譬如曹操老早就想自己當皇帝，但是曹操不篡位沒有關係，到了他的兒子曹丕就非要篡位不可；因爲曹丕沒有曹操能幹，他如果不當皇帝，他自己這個獨攬大權的職位遲早會被別人搶走。』

於是高洋開始積極進行禪讓的事，首先他派了魏收起草九錫。什麼叫做九錫呢？古時候天子賜給有功的諸侯衣物等共有九樣東西，以前，在王莽篡漢之前，先自己假藉皇帝的名義，須給自己九錫，並且讓皇帝須給一篇九錫文，裡面盛稱王莽的豐功偉業。從此想要篡位的臣子總要先準備一篇九錫文，歌功頌德一番。

高洋的篡位，臣下不見得贊同，高隆之有一次就明知故問道：『這些東西是要幹什麼啊！』高洋很不高興的回答：『我自有道理，你何必多問？是不是想要我滅你的族？』高隆之嚇得不敢再問。

一切就緒之後，侍中張亮求見孝靜帝，孝靜帝在昭陽殿接見他。

張亮道：『朝代的轉換，如同金木水火土有始有終，現在的齊王聖德欽明，萬方歸仰，願陛下效法堯舜。』

該來的總是會來，孝靜帝正色道：『此事拖延已久，謹當遜避，應該寫一個詔書告示天下。』

『詔書早已寫好。』張亮道。

既然一切都準備妥當，孝靜帝苦笑道：『那麼以後朕住在哪兒呢？』

底下有人接口道：『北城有一座館宇。』
孝靜帝默默的走下御座，步入東廊，長嘆一聲：『我想至後宮話別。』
高隆之道：『今日陛下之天下，何況是六宮呢？』他還在說風涼話。
後宮的嬪妃已聽說了這個惡耗，個個哭成一團，當孝靜帝進入後宮，更是一片哭泣之聲。李嬪誦陳思王的詩云：『王其愛玉體，俱享黃髮期。』
陳思王指的曹植，意思是說，希望皇帝保重身體，得以長壽。
孝靜帝抹著眼淚，緩緩的攀登上車。有個臣子，一步一步向前，抱著孝靜帝把他塞入車中，孝靜帝生氣道：『你是什麼人，何必逼人太甚。』
就這樣，孝靜帝禪位，高洋即皇帝位，建立了齊朝，史稱北齊，以別於南朝蕭道成建立的齊。至於孝靜帝，高洋還是不放心，不久派人毒死了孝靜帝。

閱讀心得

【第191篇】

高洋發酒瘋。

高洋逼著孝靜帝讓位給他，建立了北齊，是爲北齊文宣帝。

高洋剛剛開始當皇帝的時候，十分留心政治，法律森嚴、內外肅然；而且親身上前線，勇破契丹、山胡、柔然的軍隊。

不久，高洋自認爲功大業大，漸漸開始驕狂，他心想：『這麼辛辛苦苦做什麼，有機會應該多玩玩。』

前面說過，魏晉南北朝的人沉迷於奢侈享受，尤其酷愛飲酒。一般人因爲受物質環境的限制，往往不能夠暢所欲爲。做皇帝的人可不一樣了，要什麼有什麼，要多少有多少。但是也因爲如此，一般人的享受在高洋看來，已經不夠過癮。

高洋的酒癮一天比一天兇，喝醉了酒，他便搖搖擺擺，且歌且舞，或者披散著頭髮，或者裸露著身體，或者把臉上塗著紅紅綠綠。他有的時候騎驢，有的時候騎牛，甚且有的時候騎著白象，而且不加鞍勒，隨意亂走，旁人看著捏一把汗，卻也不敢加以阻止。

高洋不止在宮中出洋相，他大模大樣騎上街去，他在夏天把衣服剝光，這可能是怕熱；但是在嚴寒的冬天，旁人都縮頭哆嗦時，他也照樣脫光，就不能不說有點舉止異常了。

皇宮中在造房子，高有二十七丈，兩棟之間距離有兩百多尺，即使是工匠也非常懼怕，把繩子繫在身上攀牢木架。高洋半句話也不說就上了工地，然後在脊梁之間走來走去，下面的人都看傻了眼。誰知高洋竟然在屋脊中間跳起舞來，還不時轉個圓圈，眞把大家給嚇壞了。

玩夠之後，高洋走下來，拉著道上的一個婦人問：『你看天子如何？』婦人順口答道：『瘋瘋癲癲，何成天子？』不一會兒，高洋把婦人給殺了。

高洋的母親婁太后見他如此瘋狂，氣得拿起拐杖敲他道：『怎麼會生出這種兒子！』

『嘿，看來該把老母嫁給胡人算了，免得嚕嚕嗦嗦。』

聽到兒子竟然說出這種忤逆的話，婁太后氣得臉色鐵青，一言不發。

高洋大概也知道説錯話了，連忙匍匐在地上，舉起太后坐的胡床，想要引得太后一笑；沒有想到，用力過猛，反而把太后摔到地上。

酒醒之後，高洋也頗有悔意，他找來一堆木柴，把火燒得熾熾旺旺，然後準備往火中跳。太后嚇壞了，趕快一步向前，阻止高洋，勉勉強強扮出一個苦得不能再苦的笑容：『別放在心上，你剛才喝醉了酒講酒話。』

於是，高洋把上衣脱掉，對高歸彥説：『你拿棍子打我，用力的打，如果打不出血，當心我斬了你。』

高歸彥拿著棍子爲難極了。婁太后一把抱住了高洋：『好了，不必打了，你曉得自己犯了錯就夠了，打在兒身痛在娘心啊！』

吵了半天，高洋還是堅持自己要挨打，最後在脚上打了五十下。從此以後，高洋發誓戒酒，可惜只戒了十天，高洋又開戒了。

高洋趁著酒興，到處尋找美女，不論是王公大臣的妻子，或是任何稍有姿色的女孩，凡是被他看中的終究難逃其掌握。反正他也沒有眞正動過感情，玩過便算。

因爲世界所有好玩的東西都玩過了，然而這些玩樂都是刺激感官的，過久之後，原來刺激的東西變得不再有趣，心靈感到空虛。久而久之，玩雞鬥狗已不足發洩人的獸性，他日漸更加傾向於暴力。

他自己設計了大鑊、長鋸、剉碓等刑具放在宮庭之上，每次喝醉了酒，就在庭上試用刑具殺人，以爲娛樂。殺了之後把屍體丟到火中或投入水中，丞相楊愔勸之不聽，只有挑選監獄中的死刑犯當作『供御囚』，以免高洋傷害無辜。連丞相本人都曾經被高洋裝入棺木之中，讓喪車拖著走，高洋認爲這樣很好玩。

因爲高洋已失去理智，所以丞相楊愔處理政事格外困難。有一次開府參軍裴謂之上書極諫，勸高洋切勿再如此狂暴。

高洋很不開心的對楊愔說：『這個愚蠢的傢伙，他怎麼敢這樣上書！』楊愔爲著保全裴謂之一命，急中生智道：『他啊！想要陛下殺掉他，藉以成名於後世。』

『噢？小人我都不屑殺，我偏不殺他，看他如何能得名？』高洋得意地說。裴謂之的小命才算得以保全。

一次，高洋乘著酒興，騎著快馬跳下懸崖在急湍中奔馳。隨從的大臣前去追趕把馬拉回，掃了高洋的興致，氣得要殺那大臣。

那大臣沉著應道：『臣死不恨，當於地下啓奏先帝，謂此兒酗酒，不可教訓。』

高洋不發一言，沉默地走了。

過了幾天，高洋對那大臣說：『我如果飲酒過量，你可以狠狠的打我。』

可見得，高洋自己也知道喝得太猛了，但是意志力不夠堅強。最後，終於在天保十年因爲酒精中毒而死，死時才三十一歲。

高洋雖然貴爲天子，可是因爲不知道節制，非但沒有快樂，只有痛苦。

這就是放縱的下場。

閱讀心得

【第192篇】

高洋有個不『肖』的兒子。

北齊文宣帝高洋酒癮極大，終日瘋瘋癲癲，喜怒無常。高洋的弟弟，常山王高演，對此十分憂心。有一天，高洋在玩槊（槊，一種長一丈八尺的古兵器），他舉著槊，往前一刺，都督尉子輝應手而斃。『哈，』高洋高興的一拍手，把槊放下。卻一眼望見高演在旁邊，皺著眉，嘆著氣，一臉哭相，憂傷與悲憤形於顏色。高洋也發覺了高演對自己的不滿意，挑著眉毛道：『只要有你在就夠了，我爲何不能享樂享樂？』

高演也不吭聲，只是跪在地上，哭了又哭，滿地都是淚水。悲哀悽涼的哭聲連高洋也被感染到了，他把盃子一摔道：『哎，你是這樣的嫌惡我。好，今後誰敢向我進酒，我一定把他給斬了。』接著，他把御用的酒盃，一個一個摔在地上跌個稀爛。然而沒有多久，高洋又故態復萌大飲特飲。

不過，高洋對高演這個弟弟還是心存幾分忌諱。譬如說，高洋在權貴親戚家中，和大夥玩角力或是手擊的遊戲。每當高演來到，看到他那嚴肅的模樣，高洋也就停止了嬉鬧。

但是因爲高洋到底是皇帝，古時候的皇帝具有生殺予奪之大權，高演的勸諫，經常爲自己帶來禍害。有一回，高演又因爲上諫力爭，被高洋派

人毒打一頓。

回去之後，高演開始絕食，一粒飯也不肯吃。他的母親，也正是高洋的母親婁太后聽說了，急得日夜哭泣。

高洋雖然昏醉如癡，卻也還不能不顧母親。他說：『萬一這個小兒死了，那我的老母怎麼辦？』於是高洋親自去看了高演好幾回，對他道：『你努力勉強多吃一點東西，我把王晞還給你。』

王晞是高演的好朋友，也因爲上諫之事被高洋關在大牢裡，因而利用這次機會得以放出。兩人相見，抱頭痛哭。高演抱緊王晞說道：『我的呼吸困難，氣息衰弱，命若游絲，恐怕日後不能再相見了。』

王晞哭著說：『天道神明啊，你怎麼可以讓殿下這樣子死去。殿下啊！

天子是你的哥哥，又是天下的皇帝，你怎麼能夠與他計較呢？你不肯食，弄得太后也不肯食，殿下就是不愛惜自己，也該爲太后老人家著想啊。』

他的話還沒有說完，高演已打起精神坐好，十分吃力又十分痛苦的和著眼淚把飯吞下。

過了沒有多久，高演有一次又苦諫高洋，惹來高洋的不滿意。他把高演兩隻手抓住向後綁縛著，然後拿著刀抵住高演的喉嚨道：『你這個小子怎麼知道？說，是誰叫你這麼做的？』

高演長嘆了一口氣：『現在天下閉口，除了臣，有誰敢多說。』

高洋氣得拿棍子亂捶了高演數十下，方才消除心頭之恨。

高洋和他的弟弟高演個性完全不同，甚且，高洋的兒子高殷也完全不

『肖』其父。肖是像的意思，平常不肖之子是罵人的話，但這個不肖之子倒眞可愛。

高洋的太子叫高殷，是李夫人所生的兒子。李夫人是漢人，當初高洋要立李夫人爲皇后之時，曾經受到羣臣的反對，說：『漢婦人怎可爲天下母？』高洋不顧一切，仍然立了李夫人爲后（高洋是鮮卑人）。

高殷自小性情開朗溫和，喜歡讀書，雖然年紀很小，卻已有人君的氣度及風範。進退應對流露出一股高貴的氣質，是平常小孩身上所看不到的，博得衆人的一致誇獎。

但是，高殷的父親高洋卻不喜歡這個兒子。他看不慣那文雅的風度，不止一次咆哮道：『這個小子得漢家性質，不像我！』

爲了要使太子高殷像自己，高洋決心訓練調教一番。有一天，高洋登上金鳳臺，就派人把九歲的高殷召來。前面一篇中說過，高洋有許多『供御囚』是監獄中的死囚，專門用來讓高洋殺人取樂的。

這下子，前邊就五花大綁了一個供御囚供人宰割，『哪，拿去。』高洋把刀子交給高殷，高殷遲疑了半天才接過刀子。

『發什麼呆，快殺啊！』高洋很瞧不起這個沒出息的長子。

九歲的高殷拿著刀子，望著綁在地上的犯人，實在不敢下手。擡頭望著父親高洋正虎視眈眈地瞪著，爲難極了。最後，閉著眼睛，使出吃奶的力氣，勉勉強強砍了一刀。犯人發出『嗯嗯』的呻吟聲，原來沒有擊中要害，脖子上流著一片鮮血，看著好不嚇人。

爲著早日解除犯人痛苦，實在應該早些砍斷脖子，但是高殷又不忍心再砍下去。如此反覆再三，還是不能把頭砍掉。高洋在旁邊，看得火大極了，親自拿著馬鞭去抽垂死犯人的脖子，高殷看著幾乎要昏倒。以後，九歲的小太子經常氣喘，說話也結結巴巴，語言滯塞，精神也有一些受了刺激，恍恍惚惚。

閱讀心得

【第193篇】

高洋一語成讖。

自從高洋教他九歲的太子高殷殺人，高殷一連砍了三次，都沒有辦法砍斷犯人的脖子以後，高洋就很不開心。每次喝酒喝得醉醺醺時開始嘟嘟嚷嚷：『太子性情懦弱，社稷事重，皇位終當被常山王搶走。』常山王正是高洋的弟弟高演。

早在高洋命令邢部爲太子命名之時，高洋已經擔心高演會奪高殷的皇位。原來高殷出生以後，高洋命邢部爲太子取名，邢部奏請名殷，字正道。

高洋說：『嗯，高殷，好。殷是殷商也，商朝人規定王位繼承是兄終弟及，那表示說，我這個做哥哥的死掉了，就該輪到我弟弟高演當皇帝了。』

邢部一聽，面色如土。

高洋又繼續道：『字爲正道，更妙，正是一個「一」字下面一個「止」字，表示我死了以後就完了，我的兒子當不成皇帝的。』

爲太子命名的邢部嚇得在地上不斷叩頭，請求給一個機會，爲太子更改名字。

高洋卻不肯，他說：『這是天命，改了也無用。』

從此以後，高洋每回見到高演就冷嘲熱諷道：『要奪皇位就儘管奪吧，但是你別把我兒子給殺了。』

沒料到高洋一語成讖，後來，果然高演奪了高殷的皇位。

高洋雖然沈湎於酒，昏醉如癡，但清醒時，説些預言的話常常應驗，所以當時人稱之爲神靈。譬如有一次，高洋問一個泰山道士：『我能做幾年天子？』泰山道士回答道：『三十年。』高洋回宮以後，對李皇后説：『那道士説我能做三十年天子，但是十年十月十日也是三十呀，那不是快到了嗎？好可怕啊。』不幸，高洋又是一語成讖，果然在天保十年十月十日高洋眞的死了。

當時，高洋嗜酒荒淫，行爲乖張，只虧得丞相楊愔英明，處處爲他補缺彌縫。使得國家還能常保安寧，人們稱之爲『主昏於上，政清於下。』

楊愔看到高洋一天到晚説高演要奪位，實在不像話，稟告高洋道：『太子是國家之根本，不可動搖，皇帝在喝了三杯酒以後，就會說要傳位給常山王。如果是眞要如此，就該徹底實行，這話不是兒戲，隨便說說恐怕會引起國家的不安。』於是，高洋才不把高演會奪位的事掛在口上。

高洋最後因爲酒精中毒暴崩，去世時只有三十一歲。十歲的高殷即位於宣德殿。

因爲高殷的年紀很小，奏章等都先由叔叔高演先決斷。楊愔一向是忠於高洋，他很擔心高演會正如同高洋生前所料，奪高殷的皇位。

高演也發覺楊愔對他心存猜忌，爲了免除不必要的誤會，他悄悄地搬出了皇宮，回到自己常山王的宅第。從此，奏章詔敕也漸漸管不到了。

高演自己並不在意，他的朋友王晞卻上門對高演說：『鷙鳥離開了窩巢，必然擔心鳥蛋被偷，你怎麼可以自皇宮搬出呢？』

另外，中山太守求見高演，高演知道必定又是責備他不應該搬離皇宮的事，乾脆不接見中山太守。

王晞又對高演說：『以前周公一口氣見七十個賓客還嫌不夠，你有什麼值得嫌惡疑懼的呢？眞的怕人家說你要奪皇位嗎？』

這個時候，剛好楊愔有鑒於天保八年以來，爵位賞賜發得太多太濫，有意加以整頓。首先他解除自己在『開府』的職位，然後把王公之中，凡是不應該得到恩榮卻又得到的，一律予以罷免。這樣一來，得罪了不少王侯，紛紛傳言，皇帝年紀太輕，王業恐怕會落入外人之手。

於是，一批王公貴族等決意擁高演爲皇帝，除掉楊愔的掌權。

其中長廣王道：『這樣吧，我們請楊愔喝酒。我說一聲「敬」，他一定不喝，我再說一遍「敬」，楊愔一定還是辭謝，我最後說：「你爲什麼不喝？」這個時候，你們便上前把楊愔給綑綁住。』

到了宴會的當晚，大家依計而行，在長廣王一聲怒喝『我敬你酒，你爲什麼不喝？』之後，一大羣人向前把楊愔給拉住。

楊愔十分憤怒道：『諸王要造反，要陷害忠良嗎？我楊愔尊天子，斥諸侯，赤心保國，何罪之有？』

話還沒有說完，一陣拳杖亂毆，楊愔被打得頭破血流，奄奄一息。

高演並不見得贊同這場政變，然而事已至此，也只有他出面收拾殘局。他叩著頭對母親婁太皇太后（高洋去世，皇太后升爲太皇太后）哭著說：

『臣與皇上，骨肉至親，但是楊愔等獨攬朝權，作威作福，王公大臣以下都不敢言，爲著國家著想，臣把楊愔等綁來。』

太皇太后說：『楊郎現在在哪裡？』

下人答道：『一隻眼睛已經被挖出來了。』

『楊郎做了什麼？你們要如此對待他？』太皇太后悲愴地說，然後轉頭問高殷：『皇帝，你怎麼說？』

小皇帝也不敢多言，訥訥道：『任憑叔父處分。』

於是，楊愔等統統被殺。

楊愔出喪的時候，太皇太后哭得最爲傷心。她抽泣地說：『楊郎忠心而被害。』於是她拿了一些金子，放在楊愔被挖出眼球的眼眶之中，傷心地説：『表示我的一點點心意。』

高演也很後悔殺掉楊愔，因爲楊愔的忠心耿耿是人人皆知的，只是因爲政權鬥爭成爲犧牲品。於是下詔：『罪止一身，家屬不問』，意思是説罪過只限於楊愔一人，不牽連到家屬。因爲按照古時法律，凡犯重罪家屬一併受罰。

接著，高演廢去姪子高殷自立爲帝，是爲北齊昭帝。

閱讀心得

【第194篇】

第二次『三武之禍』。

六鎮之亂以後，北魏分爲西魏（由宇文泰控制）、東魏（由高歡控制）。關於高歡傳到高洋，滅掉東魏建立北齊的故事，在這幾篇中已經講了不少，現在我們再看看西魏方面：

宇文泰擁立魏文帝以後，勵精圖治，創立府兵制，從事軍事上的種種革新。到他的兒子宇文覺篡位，建立北周。是爲北周愍帝。

宇文泰去世時，宇文覺僅有十五歲，政權都控制在他堂哥宇文護的手中。以後宇文護殺掉宇文覺，又殺掉宇文覺的哥哥宇文毓（北周明帝），最後輪到宇文泰第四個兒子——宇文邕即位——是爲北周武帝。

武帝即位以後，仍舊由宇文護總攬大權，一切公文，非得要宇文護署名才算數。宇文護宅第中屯兵侍衛，簡直比宮廷裡還要多。他的兒子及僚屬們個個都是貪殘橫暴，大家都敬鬼神而遠之。

至於周武帝心裡頭怎麼想？因爲武帝沉默寡言，面無表情，沒有人猜得透他的心思。

有一天，宇文護請教大夫庾季才道：『最近天道有什麼新的徵象嗎？』庾季才恭敬的回答：『臣蒙恩深厚，不敢不盡言。從天象看起來，西近、文星兩個星座最近有了變動。公應該歸政天子，自己請求告老還家，

如此才能如周公一般，享百年之高壽。同時，子孫也得以享有封邑，藩屏王室。否則的話，這個，臣就不敢預知了。』

宇文護聽說此言，心中老大不高興，卻又不方便發脾氣。沉吟了半天才慢吞吞地說：『我本來就不想再幹下去了。只是一連上了幾個辭呈都沒有准，只好勉爲其難。』

他這一番謊言連自個兒聽了都心虛，於是，對庾季才說：『你既爲王官，以後只要注意天子的事，不必再爲寡人擔心。』從此，宇文護對庾季才日漸疏遠，因爲他講的話不動聽，不合宇文護的胃口。

表面上，周武帝對宇文護還是恭恭謹謹，在宮裡見到宇文護都是行家人禮，也就是說，因爲宇文護是武帝的堂哥，輩分比較長，所以武帝向他行弟禮，而不是依照君臣之禮。在宮裏面，兩人陪著太后聊天時，也是宇文護坐著，武帝一旁站著侍候。

有一天，武帝對宇文護說：『太后春秋已高，年歲已大。然而她非常愛喝酒，我屢次上諫，太后總是不肯接納。兄今入朝，希望再勸一勸太后。』說著，武帝自衣袖之中掏出一篇酒誥，說道：『兄到朝上後，可以照著宣讀。』酒誥是古代尚書中的一篇，由周成王所寫的，內容是勸他母親戒酒，寫得十分委婉動人。

到達宮中以後，宇文護開始聚精會神朗誦酒誥。酒誥寫得極長，全部讀完還相當花時間。

宇文護正唸到一半。忽然之間，武帝自後面拿起笏（笏，是一種手板，寫事備忘用），往宇文護的腦袋瓜子一敲，宇文護應聲而倒，然後派人把宇文護給斬了。

這一下子除掉宇文護，周武帝正式掌權，治理國事。此時，他發現國家中有一個很大的問題，那就是和尚、尼姑多得嚇人。

從五胡十六國時代開始，自漢朝時傳入的佛教開始大爲鼎盛，魏晉時代的人，天天過著悲慘的生活，他們悲觀而絕望，渴求一種新的人生觀來撫慰心靈。一方面因爲尋求安慰，另一方面出家是逃避租稅、兵役最好的方法，所以和尚尼姑愈來愈多。到北魏末年，僧尼人數有二百萬，寺院有三萬多所。

此時北周的衛元嵩向武帝建議：和尚應該分爲有德及無德兩種，沒有德行的僧侶不能逃避兵役。他的理由是佛家最講求平等的，僧侶過多，國家的稅收不夠，只得向一般百姓徵收更多的稅來貼補，實在太不公平。

到武帝親政的第二年，關中鬧災荒，他下了一道命令：『囤有糧食的富戶，除了留下自己需要的口糧以外，其餘的一律拿出來賣。』結果，富裕的寺廟非但不聽話，反而藉這個機會放高利貸，剝削百姓，這下子把雄才大略的武帝惹火了。他想，要是如此下去，以後處處成寺，到處全是和尚還像話嗎？於是下詔滅佛。

同時，佛教教人出家，內不能盡孝於父母，外不能盡忠於君國，也引起極大的爭論。認爲與我國傳統的儒家學說牴觸，加強了武帝滅佛的決心。

他將僧侶的廟產，一律充公。將兩百萬僧侶還俗，分別編爲軍民。三萬多所廟寺，改建民房。如此一來，使得北周政府平添不少的人力、財力、軍資、兵源。

在我國歷史上，將北魏太武帝、北周武帝及唐武宗毀佛稱爲三武之禍，是爲佛教之浩劫。

此外，周武帝下詔，凡因戰役俘獲充作官奴婢者，全部釋放爲民。又娶了突厥公主當皇后，拓展外交及實行種種富國強兵的政策。

周武帝即位時，北齊國勢漸衰，高洋已死，繼位的廢帝高殷、昭帝高演、武成帝高湛、後主高緯都不是有才能的君主，內政日益腐敗。

南方的陳朝正是陳宣帝在位，陳承繼宋、齊、梁各朝的風氣，社會上彌漫著文弱、奢靡的習尚，沒有甚麼新氣象，陳宣帝本身好大喜功才幹不足，所以陳的國勢也很弱。在這種情形之下，以北周武帝的英明有爲，頗有統一全國的可能。

閱讀心得

【第195篇】

高叡死諫。

北齊昭帝高演在位十一年去世，由他的弟弟高湛即位，是爲北齊武成帝。

武成帝在還沒有當上皇帝以前，就和國子寺學生和士開的感情最好。和士開爲人機警，有幾分小聰明。他的琵琶彈得極佳，尤其會玩握槊之戲（握槊是古代一種賭博的遊戲），剛好武成帝最好此道，因此兩人十分投緣。

和士開嘴巴甜，擅長拍馬屁。齊昭帝在世時，不准武成帝與和士開走得太近，因爲和士開過於輕薄，是個標準的小人。等到昭帝去世，武成帝第一件事就是把和士開喚回身邊。

武成帝一會兒工夫都離不開和士開，有時候和士開從宮裏回家，剛回去，武成帝又派人把他召回。和士開喜歡做出許多鄙陋猥褻的動作取悅武成帝，武成帝對他的寵愛日甚，前前後後的賞賜，不可勝計。兩人一天到晚黏在一塊，早已不再有君臣之禮。

古代皇帝的責任極重，不但從小要接受比一般平民更重的教育，登位後日理萬機也是一件繁重的工作。武成帝好逸惡勞，追求貪樂，對於繁重的政務感到十分不耐煩。

和士開對武成帝道：『自古帝王到今日盡爲灰土，賢君堯舜、昏君桀

紂在死了以後又有什麼差別？陛下趁著少壯之年，應該極意爲樂，一日取快，可敵千年！』

『對，好一個一日快活，可敵千年。』武成帝很激賞和士開的說法。把政權交給左右的奸臣，日夜作樂，使得齊國的政治大壞。

因爲不知道節制，武成帝在三十二歲便一命歸天了。臨終之前，他握緊著和士開的手道：『勿負我也。』閉上了雙眼。

和士開本來就是皇帝身邊的紅人，這下子武成帝臨終託付於他，自然神氣活現。朝廷裡的臣子紛紛巴結他，自願作爲和士開的假子。

尤其和士開和武成帝的皇后胡后交情不錯，胡后也喜歡握槊，和士開常陪著她玩，兩人關係頗不尋常。因此，當武成帝去世，胡后升爲胡太后以後，對和士開也是非常支持。

朝廷裡面以高叡爲首的一些忠臣看不過去，決定去向胡后建議，把和士開調離京城。

高叡是高歡的堂姪兒，由於父親早死，從小由高歡撫養長大，高歡視高叡如同自己的兒子。高叡身長七尺，體貌宏偉，很有學識，又懂得治事之道，爲人正直，受封爲南趙郡王。十七歲時就受命爲定州刺史，他在任內，留心州內政治事務、整頓治安、注重農業和教育，政績優良。

他曾率領數萬士兵監築萬里長城。爲表示與士兵同甘共苦，他不肯別人幫他打扇，也拒絕飲用專車送來的冰水。

高叡說：『三軍之中，人人都喝溫燙的熱水，人人都受不了炎夏，我憑什麼一個人飲用冰水？我喝不下去。』因此兵士都肯爲其効命。現在看到朝廷日非，高叡率先面陳和士開的罪過，他說：『士開是先帝弄臣，貪汚納賄，穢亂宮廷，臣冒死陳之。』

胡太后冷笑說：『先帝在時，你們爲何不說？今日莫不是要欺負我孤兒寡婦？不必多言。』

高叡等仍然據理力爭，不肯讓步。胡太后也擺下臉來下逐客令：『改天再說吧，你們可以散去了。』高叡氣得把烏紗帽丟在地上。

第二天，高叡又到雲龍門求見胡太后。他請人通報三次，三次胡太后都不肯接見，最後派左丞相對高叡說：『現在先帝的棺木還未出殯，朝廷正在辦喪事，以後再說。』

如此一來，高叡只有暫時告退。

因為高叡等在朝廷中還有相當力量，胡太后也不能完全不理他，於是派人找和士開來商量。和士開裝出一臉忠貞的模樣說：『先帝在羣臣之中，待我最厚，我如果離開朝廷，不等於剪除陛下的羽翼，削弱王室的力量嗎？』於是兩人決定，謊稱要派和士開為兗州刺史，只等喪事辦完，立刻上任。

武成帝的葬禮一完，高叡馬上要進宮，催促和士開上路。宮內的宦官知道太后心意的，跑來對高叡說：『你這是何苦呢？太后既然一意袒護和士開，你又何必自討沒趣？』

『不成，現在幼主年紀還小，豈可容許奸臣在側。我如果不去說，我有何面目對天？』高叡還是怒氣沖天的去找太后理論。

胡太后聽完高叡一番說詞後，沒表示任何意見，只是命人爲高叡斟酒。高叡站起來正色道：『我今天是來論國家大事，不是來喝酒。』說完話，高叡便離開了。

當天晚上，高叡做了一個惡夢。夢到一個長一丈五尺的巨人，巨人的手臂有一丈長，直直的對高叡襲來，他嚇得驚醒道：『恐怕是太后要殺我的預兆。』

第二天早上起來，高叡又要上朝勸太后。他的妻子哭著拉著他，不放他走。高叡甩開妻子的手說：『自古以來，忠臣都是不顧身家性命的，我不能容許胡太后危害朝廷，我寧可死著去見先帝。』

他走到殿門，旁人看著他又來送死，好心的扯著他的衣袖道：「希望殿下不要進去，恐怕會有危險。」

高叡還是不顧一切的往前衝道：「我上不負天，死亦無恨。」

高叡進了宮，又向胡太后力陳和士開的劣跡，要求除掉和士開。胡太后不聽，命高叡出宮，高叡無奈，只好離開，還沒有走出皇宮，在半途上便被埋伏在路旁的武士擒住殺了。高叡死時才三十六歲。高叡死後連續三天，京師大霧，這是少有的現象，人們都說這是老天爺痛惜高叡冤死。

【第196篇】無愁天子齊後主。

高叡死後，琅琊王高儼更加厭惡和士開，便和領軍庫狄伏連、御史王子宜、都督馮永裕等合謀，設計殺了和士開。

大權歸於北齊後主高緯。齊後主說起話來滯澀遲鈍，結結巴巴。所以他十分不喜歡接見大臣，除非是他特別寵愛親私、暱近狎習的，否則一概不與之交談。

同時，齊後主個性非常懦弱膽小，被人一看就害羞得滿臉通紅，因此他不准臣子看著他。哪怕是尚書令有事要稟奏，也不可以仰視，只能夠匆匆忙忙講一個大概，然後快速地離開。不然他就要生氣。

比起他的父親武成帝，齊後主更加地奢侈浪費。他的後宮姬妾，都是寶衣玉食，做一條裙子所花的費用，往往就值一萬匹布的價錢，在他看來，這是理所當然之事。

齊後主很喜歡蓋宮殿，可是卻喜新厭舊，常常剛剛蓋好，沒有兩天，覺得不滿意，馬上下令『拆掉』。於是辛辛苦苦造起來的宮殿被夷爲平地，然後，他又要蓋一座新的宮殿，並且催得十萬火急。

在這種情況之下，百工土木，沒有一時一刻休息的時候。白天固然是趕工，連夜晚也點著火照樣工作，冬天寒冷，泥土都結凍了，竟然用熱水

攪拌泥土照常趕工。

中國古代，認爲君主是全國人民的大家長，君主常稱其百姓爲『子民』，但是君主要受天意的監督。所以古時候有了天災、寇盜，當皇帝的常要責備自己，並且加以節制。但是齊後主卻沒有因爲災荒貶損自己，又爲著求取良心上的安寧，開鑿晉陽西山的大石雕刻成爲大佛像。爲著這個巨大的工程，一天晚上要用一萬盆油照明，又到處設素齋，認爲如此菩薩就會保佑他。

齊後主喜愛彈琵琶，而且自己作了一首無愁曲，命令臣子唱和。民間暗地裡爲他取了一個外號『無愁天子』。

無愁天子因爲太快樂了，沒有什麼憂愁的事。他榮華富貴享受已極，忽然突發奇想：『當個乞丐多有意思呢！』於是他在華林園建立了一座貧兒村。齊後主換上破爛的衣服，攜著籃子帶著棍子，哭喪著臉跪在地上對著宮女哀求：『好心的太太啊，請你施捨一點兒吧，我已經三天三夜沒有吃東西了。』覺得有趣極了。西洋有部文學名著乞丐王子，講的是一個王子想當乞丐，與乞丐交換身分的一段故事。看來皇帝當久了，換個口味當乞丐的心理不足爲奇。

在他主持之下的朝政，官吏爵位都是用錢買來的，衙門裡判案子也是看受賄多少斷其輕重。因爲齊後主糊塗昏庸，不但他的一個舊僕人劉桃枝可以當上開府儀同三司（類似今天部長級官位），其他宦官、歌舞人、官奴婢也可以封王。有一個人叫薛榮宗，自稱能看到鬼，十分稀奇，人們稱之爲『見鬼人』，也當了官。

最爲荒唐的是，當齊後主鬥雞走馬玩得開心，他隨口就替這些狗啊、馬啊加上儀同、郎君的封號。所謂『赤彪儀同』、『逍遙郎君』、『凌霄郎君』都是非鷹即馬，還有一隻很可愛的波斯狗被封爲『儀同郎君』，不但有封號，竟然還享有一份俸祿哩。

當他任情的揮霍之時，一些個佞臣小人也在旁陪著玩兒，動輒數萬。沒有多久國家的府藏掏光了，齊後主便用賣官的方式謀取金錢。當然買得起官位的，不會是窮讀書人，有操守的讀書人也不屑買官。富商大賈他們一旦得到官位以後，當然貪污枉法，要在老百姓身上撈回成本，因此處處民不聊生。

齊後主自小養尊處優，要什麼有什麼，因此，養成他極爲不耐煩的性格，脾氣急躁。有一天晚上大家都快睡覺了，他忽然想要蠍子，說要就立刻要。

蠍子，是一種節足動物，和蜘蛛同類，尾巴彎曲有毒鉤，會螫人注毒，成語『毒蠍美人』就是形容蠍子性毒。齊後主不曉得要拿蠍子去害哪個倒楣鬼，反正他急著想要。

三更半夜到哪兒去找毒蠍？但是皇帝有令，不得不辦。整個宮中上上下下忙成一團，齊後主又不斷在發脾氣：『怎麼還不快一點！』到了黎明，終於給後主弄來了三升的毒蠍。

齊後主有一個毛病，什麼東西不好找，他就偏偏要這個東西，而且性子急得不得了，早上才有此念頭，晚上就非到手不可。譬如說他在夏天要冬天的水果，到哪兒去找呢？卻也只能上天下地爲他找了來。經常把地方上的百姓攪得人仰馬翻。

在齊後主的統治之下，北齊政治的敗壞可想而知。相對地，這時正是北周武帝在位，奮發圖強，當時長江以北是北齊和北周兩雄對峙，強弱對比，明眼人很容易看出來歷史的發展幾乎注定是北周滅亡北齊。

閱讀心得

【第197篇】

馮小憐觀戰。

在『無愁天子齊後主』中，我們說到齊後主荒唐昏庸，使得民不聊生。於是，精幹的周武帝大舉伐齊。齊兵大敗，八千甲士被捕。

這個緊急的當兒，北齊後主正擁著馮淑妃在天池遊玩，快活似神仙。馮淑妃，本名叫小憐，長得確是楚楚可憐的動人模樣兒。她原先是穆后的侍婢，因為能彈琵琶，剛好與擅長琵琶的後主興趣相投，小憐又會輕歌妙舞，益發能討後主歡心。因此，他二人坐則坐在一張席上，出則共騎一匹馬，而且發誓兩人要同生共死。

這一會兒，北周大軍圍攻晉州，晉州告急，從早上到中午，一連有三次驛馬傳來緊急快報（在古代，沒有電話或電報，都是利用驛卒，騎著快馬傳遞消息），說是前線告急，請中央政府趕快救援。

右丞相淡淡地說：『天子正在作樂，邊境小小的交兵，不算一回事，何必急急忙忙奏聞。』

到了傍晚時刻，驛卒帶來一個壞消息：『平陽已陷』。這個消息非同小可，丞相趕緊呈報上去。

聽說平陽失陷之後，馮小憐還捨不得離開天池，她正與後主打獵玩在興頭上。於是她嬌媚地對後主說：『不急嘛，再殺一圍嘛。』後主也正不

想走，連忙答應：『好。』

旁邊的人都不敢相信自己的耳朵，卻也沒有辦法。還有人說，後主名字叫高緯，緯與圍同音，再殺一『緯』，太不吉利了。

北齊的將領還算十分爭氣，平陽城陷之後，極力反攻，想要收復失地。他們暗地挖了一個地道，地道挖成之後，果然平陽城垣崩頹倒了一大段。

北齊的士兵高聲歡呼：『衝啊！衝啊！城破了。』北齊軍隊正要衝鋒，忽然，前來督戰的北齊後主站在遠遠的高地大聲一喊：『且慢，且慢。』

原來，齊後主認爲這是難得一見的精采鏡頭，連忙派人去叫馮小憐前來觀戰。小憐接到消息，也不馬上趕來。換衣服，梳頭髮，然後慢吞吞的上粉，抹臙脂，折騰了老半天才嬝嬝婷婷的出來。

等到馮小憐到來，北周人老早用木頭塞住了北齊人挖的地道。北齊的軍隊眼睜睜看著辛辛苦苦挖的地道被毀，卻又沒有辦法阻止，因爲馮小憐的粧還沒有化好，一個個都快氣瘋了，因此，士氣大爲低落。

北齊軍隊失去了收復城池的機會，北周軍隊也感到很意外，不敢輕舉妄動，於是雙方僵持著，馮小憐來到高地，並沒有看到雙方作戰。

馮小憐不但不因此感到抱歉，反而氣呼呼的埋怨：『把人家找了來，什麼也看不到，眞是掃興極了。』

後主也覺得沒有讓小憐看到攻城十分抱歉，因此當小憐提議：『我聽說晉州城的西邊有塊石頭，上面有神仙來過的遺跡，我們去看一看吧。』後主一口便答應了。

但是，後主轉念一想：『不好，不好，那兒靠近戰區，萬一弓矢射中怎麼辦呢？還是別去吧。』

小憐仍然不死心，苦苦地央求著。齊後主認爲，難得有這個機會，若不尋幽訪勝也是可惜。左思右想了半天，最後，齊後主靈機一動：『不如另外造一個橋，通往神仙遺跡，如此豈不妙哉？』他好像忘記了現在正在打仗，還以爲是在觀光。

齊後主的脾氣向來是想要就要，他立刻傳令造橋。下面的人回答：『沒有木頭怎麼造橋？』

『誰說沒有木頭的？那兒不是擺了一大堆？』齊後主指著地下一堆堆圓滾滾的木頭，怒聲的指責著。

『可是，可是，這些是拿來準備撞擊城門進攻之用的啊！』手下的人無限委屈又憤慨地抗辯。可是，後主說要挪用，誰也沒有辦法，而且，後主有一個毛病，性情急躁，說辦就辦。他不但傳令趕工，而且親自監工，把戰爭拋到一旁。還不斷的威脅：『快點，快點，不然就要受罰！』

天下許多事都是急不來的，譬如造橋便是，泥土還沒有乾，後主已經迫不及待牽著小憐去看神仙遺跡了；兩人的車馬剛一上橋，橋立刻就垮了，跌得人仰馬翻，一塌糊塗。直到半夜兩人方才狼狽的回來。

但是，這些似乎沒有給齊後主帶來任何教訓。不久，兩軍開戰，他又拉著馮小憐前去觀戰。

小憐原來以爲打仗挺有趣、挺新鮮的，等到眞的上了戰地，聽到殺聲震天，嚇得花容失色。她忽然發現，東邊的陣容似乎稍退，尖叫一聲：『敗了，敗了。』旁邊穆提婆跟著一喊：『大家退，大家退！』

其實，部隊半進半退是作戰中常有的現象。馮小憐一嚷嚷，拉著齊後主撤退，人情駭亂，一敗不可收拾。仗也沒打，軍資器械扔了幾百里之遠，北齊整個潰敗。

當北齊後主與馮小憐逃到洪洞，小憐還不知道自己闖下大禍，拿著鏡子，施粉添粧，顧影自憐。一直到殿後的軍士高喊：『賊兵來了！』才依依不捨放下鏡子。

在這種一面倒的情況之下，周人以秋風掃落葉之勢，在兩年之內完全消滅了北齊。

閱讀心得

【第198篇】

周武帝管教太子。

在上一篇『馮小憐觀戰』之中，說到北周武帝大破北齊軍隊，威風極了。然而，周武帝雖然文治武功都可稱道，他卻有一個大隱憂，武帝的太子宇文贇不成材。他很擔心太子沒有承嗣皇位的能力。

因爲這個緣故，武帝管教太子十分嚴格。他不願意太子有虛驕之氣，所以對太子的態度和一般大臣相同，哪怕是隆寒盛暑，太子也同樣上朝，不得偷懶。

太子沒事時喜歡喝上兩杯酒，周武帝對他這種嗜好深惡痛絕，下了一道命令，禁止將酒運往東宮（東宮是古代太子所居住之地）。

有一次，太子又犯了過錯，引得周武帝大發雷霆。他拿起了棍子狠狠地對太子抽來，一邊用力的打，一邊痛心地說：『你啊，別以爲你這個太子的位置是坐定了，從古以來太子被廢的不曉得有多少，難道除你之外，我其他的兒子都不能做太子嗎？』

太子最怕他的父親，摀著屁股一句話也不敢說，轉過身去，又照樣吃喝玩樂。武帝國事忙，而且與太子也不住在一起，因此特別命令，把太子的一言一行，言語動作照實記錄下來，每個月報告一次。太子竟買通了左右，所以送給武帝看的報告倒是表現成績不壞。

但是，江山易改，本性難移，太子是塊怎麼樣的材料，武帝心裏最爲清楚不過。

有一日，周武帝到同州考察，召見萬年縣丞樂運。周武帝問樂運道：

『卿近來見過了太子，你覺得，太子是一個怎麼樣的人啊？』

『中人。』樂運簡短地回答。

『哈哈，』周武帝自我解嘲地乾笑了幾聲。然後，回過頭來對齊王宇文憲等人說：『那些個百官佞臣爲著討我歡心，都說太子聰明睿智，只有樂運一個人說太子是中人，這可證明樂運這個人是忠貞正直的。』

接著，武帝又問樂運道：『你倒是說說看，什麼樣叫中人？』

樂運回答道：『在漢書之中，作者班固批評古代的齊桓公爲中人。因爲當他任用管仲時，天下大治，成爲春秋五霸之一；以後管仲去世了，齊桓公任用豎貂，一敗塗地。所以中人就是可以爲善，也可以爲惡的人。』

樂運這話說得十分婉轉；他不便直接批評太子，只點出了如果太子沒有人好好輔佐，必定會造成國破家亡的悲劇。

聰明如周武帝，當然聽得出樂運話中的含意。回去後，便有意在東宮中多找幾個賢人好好教一教太子。

太子知道這件事，相當的惱火，他不但恨樂運，尤其痛恨齊王宇文憲。宇文憲是他的叔叔，常在武帝面前說他的缺點。

另外有一人，名叫宇文孝伯，他和周武帝是同一天生日，長大以後又與周武帝一塊讀書。

宇文孝伯的學問很好。因此，武帝派他伴太子讀書。宇文孝伯眼看著太子一天天長大，既無德行，又好親近小人，就對周武帝稟告：『皇太子四海所屬，然而未聞德聲。臣爲東宮官屬，理應受責。然而太子年紀尚小，志業未成，請妙選正人君子作爲太子的師友。』

周武帝笑嘻嘻的回答：『哪有其他正人君子比得上你？』於是仍然用宇文孝伯爲左宮正。

其實，宇文孝伯是有苦說不出，他早就不想擔任教導太子的工作了。因爲太子不能打也不能罵，完全不准體罰。太子不肯學好，做老師的實在一籌莫展。

但是，說也奇怪，自此以後，周武帝每回問道：『我那個不肖的兒子，近來有點兒長進沒有？』

宇文孝伯總是回答道：『太子畏懼天威，不再嗜酒，也沒有什麼重大的過失。』

『噢？』周武帝高興極了，他心想，也許太子眞的痛改前非了。

可是，一次在宴會中，有個叫王軌的忠臣，湊近了周武帝，捋著武帝的鬍鬚，半開玩笑的說：『可愛的老公公，可惜後代太弱了。』

武帝很不高興，吃完了酒，把宇文孝伯找來責備道：『你每次都告訴我說，太子無過，今天有王軌這番話，可見得你是在騙我。』

宇文孝伯也不申辯，他恭恭敬敬的下拜道：『我聽說父子之間的事，外人是難說什麼的。臣知道陛下不肯割情忍愛，捨不得不讓他當太子，我只好把舌頭打個結，不敢多說。』

可不是嗎？太子雖然無才，太子的弟弟更糟，其他的兒子太小。自古以來的皇帝，又沒有捨得把皇位拱手讓人的。武帝一時之間答不出話，沉默了好半天，對宇文孝伯道：『朕已經委託你管教太子，希望你勉力為之。』

武帝的意思是叫宇文孝伯把死馬當活馬醫，希望能把太子引到正途上來。宇文孝伯能成功嗎？

閱讀心得

【第199篇】

周宣帝誅殺忠良。

中國人常說：『虎父犬子』，雄才大略的周武帝卻有一個不成材的太子眞應了這句話。雖然武帝嚴加管教，太子的老師宇文孝伯及叔父齊王宇文憲苦心教導，仍不能使太子改邪歸正。

周武帝建德七年，武帝率領大隊人馬進攻突厥。走到一半，武帝忽然感覺身體不舒服，留在雲陽宮休養。

過了幾天，病情仍舊沒有好轉，正式下詔軍隊暫停前進。而且快馬召來宇文孝伯。

宇文孝伯與武帝同年同月同日生，兩人自小感情很好，而且宇文孝伯又接受武帝的重託，管教太子，交情非比尋常。宇文孝伯匆匆趕到行在所，發現強壯的武帝一下子變得滿臉憔悴。

武帝用虛弱的手拉著宇文孝伯說：『我自己知道沒有痊癒的希望了，以後的事請多費心。』

當晚，授宇文孝伯司衛上大夫的官職，總領皇帝身邊的禁衛衛兵，又派人入京鎮守，免得敵人利用這個機會挑釁。可見得武帝的英明能幹，直到垂危，仍然如此果斷。

過了不到一個月，武帝愈來愈不行了，勉強回到長安，當天晚上與世

長辭，享年只有三十六歲。他做了十八年的皇帝，可以說是南北朝最有作爲的君主，可惜天不假年，否則，他可能創造一段輝煌的歷史。

武帝一死，太子宇文贇即位，是爲宣帝。武帝是明主，英年早逝，全國都籠上一層悲哀，宮中更是一片嚶泣之聲，只有宣帝沒有一點兒憂傷。他摸著身上一條紅一道紫的杖痕，想著武帝生前教訓他的情景，破口大罵道：『老東西，死晚了。』

然後，他一跳而起，直奔武帝後宮，挑選美麗的宮人納爲己有，以宣洩對武帝的不滿。

宣帝心想，好不容易終於讓我當上皇帝，那些以前對不起我的，現在要他們好看。宣帝一思索，立刻想到了叔父齊王宇文憲一天到晚在武帝面前打小報告，說他這個不是，那個不是，害得他挨了不少鞭子，此仇不報非君子。而且宇文憲德高望重，爲朝廷中人敬重，這也是叫人生氣的事。

於是，宣帝把宇文孝伯找來，就對他說：『你若能爲朕除去齊王，朕當把官位給你。』

宇文孝伯叩頭道：『先帝留有遺詔，不許濫誅骨肉。齊王乃陛下叔父，功高德茂，社稷重臣。陛下若無故害之，則臣爲不忠之臣，陛下爲不孝之子矣。』反而把宣帝教訓一番。

宣帝聽了，心裡很不高興，從此與宇文孝伯逐漸疏遠。祕密地與小人們商量謀害宇文憲。

首先，宣帝派宇文孝伯去告訴宇文憲，說是要以他爲太師，宇文憲一再辭讓不肯擔任。

然後，又叫宇文孝伯通知宇文憲：『今天晚上諸王們都請入宮。』到了晚上，諸王們會集，只有宇文憲一人單獨被請入內宮。他一進宮，立刻被兩旁竄出的壯士捉住，一口咬定宇文憲叛變。因爲是入宮，所以既沒有隨侍，又不能帶武器，宇文憲只有乖乖被綑住。

接著，宣帝派宇智與宇文憲對質。宇智說，他偷偷在宇文憲家中看到的奇怪景象，在在都表示有異謀。卻被宇文憲一一駁斥回去，而且宇文憲氣壯如山，目光如炬，直直盯著宇智。宇智到後來辯得啞口無言，蠻不講理道：『以王今日的地位，是不是有異謀，還用得著多說嗎？』

既然欲加之罪，何患無辭，宇文憲氣得把朝用的象笏往地上一摔，沉痛地說：『生死有命，我也不想活了。只是老母在堂，我害得她也要受牽連了。唉！』

就這樣，宇文憲被吊死；沒多久，宇文孝伯也步上後塵。朝廷裡的忠臣，宣帝一概沒法子相容。

不久宣帝立皇子魯王宇文闡爲太子，並且傳位太子，自稱爲天元皇帝，對臣下不稱朕而稱天。每天戴著一個『通天冠』，到處去玩，羽儀仗衛跟隨在後，晨出夜還。隨侍的官吏，個個苦不堪言，對著月亮想打哈欠。

宣帝既然自稱天，表示他自以爲高高在上，非常的了不起。所以規定凡是要來看他的，得先吃三天齋，潔身沐浴而後前來。他看到『天、高、上、大』這幾個字就有反感，認爲是大不敬，所以官名中沒有此四字。有人姓高怎麼辦呢？一律改爲姓姜。同時他又禁止天下婦人，不得抹粉擦臙脂，這是宮人的專利，此也是歷史上所少見的規矩。

因爲宣帝少時嗜酒，被武帝打過不少板子，懷恨在心，意圖報復。所以自公卿以下的官吏都常常挨打，每次打板子至少要打一百二十板稱爲天杖，蒼天所制定之杖數也。後來又把天杖提高爲二百四十下，眞是夠受的。

不但公卿要挨打，連他所寵愛的后妃嬪御也是說打就打，而且狠狠的打在背上，痛徹心肺。宮中裡裡外外，人心不安。

閱讀心得

閱讀心得

歷代・西元對照表

朝　　代	起迄時間
五帝	西元前2698年～西元前2184年
夏	西元前2183年～西元前1752年
商	西元前1751年～西元前1123年
西周	西元前1122年～西元前 771年
春秋戰國(東周)	西元前 770年～西元前 222年
秦	西元前 221年～西元前 207年
西漢	西元前 206年～西元 8年
新	西元 9年～西元 24年
東漢	西元 25年～西元 219年
魏(三國)	西元 220年～西元 264元
晉	西元 265年～西元 419年
南北朝	西元 420年～西元 588年
隋	西元 589年～西元 617年
唐	西元 618年～西元 906年
五代	西元 907年～西元 959年
北宋	西元 960年～西元 1126年
南宋	西元 1127年～西元 1276年
元	西元 1277年～西元 1367年
明	西元 1368年～西元 1643年
清	西元 1644年～西元 1911年
中華民國	西元 1912年

國家圖書館出版品預行編目資料

全新吳姐姐講歷史故事. 8. 南北朝/吳涵碧 著.
--初版.--臺北市；皇冠，1995〔民84〕
面；公分（皇冠叢書；第2474種）
ISBN 978-957-33-1218-5（平裝）
1. 中國歷史

610.9 84006880

皇冠叢書第2474種
第八集【南北朝】
全新吳姐姐講歷史故事〔注音本〕

作　　者—吳涵碧
繪　　圖—劉建志
發 行 人—平雲
出版發行—皇冠文化出版有限公司
台北市敦化北路120巷50號
電話◎02-27168888
郵撥帳號◎15261516號
皇冠出版社(香港)有限公司
香港銅鑼灣道180號百樂商業中心
19字樓1903室
電話◎2529-1778　傳真◎2527-0904
印　　務—林佳燕
校　　對—皇冠校對組
著作完成日期—1992年01月01日
香港發行日期—1995年09月25日
初版一刷日期—1995年10月01日
初版二十九刷日期—2021年05月
法律顧問—王惠光律師

讀者服務傳真專線◎02-27150507
電腦編號◎350008
ISBN◎978-957-33-1218-5
Printed in Taiwan
本書定價◎新台幣150元/港幣45元